W9-DGV-376

WITHDRAWN

Biblioteca Era

Claribel Alegría

Pueblo de Dios y de Mandinga

(Con el asesoramiento científico de Slim)

Claribel Alegría

Pueblo de Dios
y de Mandinga

(Con el asesoriamiento científico de Slim)

Ediciones Era

Primera edición: 1985
ISBN: 968-411-130-4
DR © 1985, Ediciones Era, S. A.
Avena 102, 09810 México, D. F.
Impreso y hecho en México
Printed and Made in Mexico

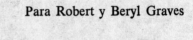

Para Robert y Beryl Graves

Los Barceló, anotó Marcia en su cuaderno de pobladores autóctonos, casi nunca llegan de Palma antes del mes de junio, pero este año se instalaron allí por Semana Santa. Slim y Marcia sólo se dieron cuenta cuando llegó Tebas, haciendo pipí sobre los libros y dejando una gran caca en el centro de la alfombra de borrego.

Tebas es de pura raza, por supuesto. Tiene ojos azules y según Slim está poseído por un alma en pena.

Marcia sintió cuando empujó la puerta y bajó del dormitorio a tiempo para alejarlo con un paño de limpiar platos.

A Slim y Marcia les gusta dormir tarde, hasta las nueve o diez de la mañana, pero la familia Barceló es de raíz campesina y tiene la manía de levantarse con el sol. Desde ese mismo instante la señora empieza a gritar y no para en todo el día salvo a la hora de la siesta.

El verano pasado, por ejemplo, apenas le dieron al viejo su café y lo instalaron en la *chaise longue* junto a la fuentecita, la vieja empezó a rezongar: "Uy", chilló, "cómo han maltratado las plantas". Levantó la voz más que de costumbre para que Francisca, su vecina, que estaba encargada de cuidarlas mientras ellos pasaban el invierno en Palma pudiera oírla bien. "Mira ésta", se dirigió al viejo bajando apenas la voz, "toda deshecha y doblada. ¿Sabes a qué me hace recordar?, a tu pobre pito arrugado desde hace tantos años".

Y así por el estilo todas las mañanas.

9

Este año, sin embargo, fue distinto. Salvo por los ladridos matutinos de Tebas, un silencio descomunal rodeaba a Ca'n Barceló.

Slim y Marcia lo comentaron una de las raras veces en que coincidieron para tomar juntos el café de la mañana.

—A lo mejor ha habido reconciliación —sugirio Slim.

—Qué va —dijo Marcia—, hay fuerzas irreconciliables. Lo que pasa es que simplemente están llegando a la decrepitud.

Es curioso nuestro pueblo. Hay muchísima gente que se está acercando a los cien años. Están encorvados, arrugados, blancuzcos, pero si alguien tropieza con ellos en cualquier parte, subiendo o bajando las gradas que llevan al ayuntamiento y les dice "buenos días", ellos contestan "bon día" y siguen subiendo sin un descanso para respirar.

Allí arriba, en los dominios de don Pedro —la iglesia y el cementerio— si paseamos la mirada entre la maleza y las flores plásticas, nos damos cuenta de que aquí los más precoces mueren a los setenta y la mayoría aguanta hasta muy avanzados los noventa.

Cosas muy extrañas pasan en el pueblo. El otro día, por ejemplo —Marcia todavía no se ha atrevido a contárselo a Slim porque él está escribiendo la novela definitiva sobre Deyá y teme que si empieza a contarle la tendrá tres cuartos de hora inmovilizada, sin dejarla ir a regar sus plantas, acosándola a preguntas como si estuviese ante el juez de tercera instancia en Palma—, bueno, lo que pasó fue muy sencillo: Marcia iba subiendo las gradas de mula hacia la verdulera que está casada con un guardia civil (muy útil estar bien con ella y su marido, siempre que hay jaleo es él quien impone de nuevo el orden); subía paso a paso tratando de recordar si Slim necesitaba perejil o apio porque es muy exigente para eso de los ingredientes cuando hace su sopa. Descansaba cada cinco gradas para respirar a la manera yoga, su corazón ligeramente fatigado así lo exige, y no había ningún apuro porque el día amaneció lindo, con un sol resplandeciente y cada vez que ella inhalaba y sostenía la respiración hasta contar cuatro y luego vaciaba los pulmones, cada hoja de algarrobo y de olivo, hasta las más lejanas en el flanco del Teix, resplandecían una por una reflejadas por el sol y Marcia sentía (jamás se atreverá a decírselo a Slim), eso que él llama *Satori.* Otra vez empezó a subir los peldaños de piedra con su mezcla de grava y tierra entre cada uno y de pronto se tropezó con don Antonio y su gorra vasca que bajaba sigilosamente las gradas ayudándose con su bastón.

Marcia lo saludó alegre con un "buenos días" y él le contestó "bon día" en un tono preocupado.

Siguió su camino rumbo arriba donde la verdulera y al último momento recordó que era apio y una cabeza de ajo lo que Slim precisaba para su *pot au feu.*

Se sintió feliz de haberlo recordado y decidió dar un paseo cuesta abajo por el pueblo. Sólo cuando iba llegando a la *boutique* de René y Huguette se dio cuenta, de pronto, que don Antonio había muerto hacía tres meses.

Cayó grave unos días antes o después de que el Generalísimo se enfermara y entre boletines de radio, cabeceras de periódico e informaciones de televisión firmadas por un equipo de veintiún médicos, Francisca iba diariamente a casa de Slim y Marcia a darles parte de la gravedad e incipiente agonía de su padre.

Don Antonio fue republicano durante la guerra civil y lo pagó bastante caro. Gracias a tener el apellido Castañer, escrituras públicas de una casa y unas cuantas terrazas, pudo quedarse en el pueblo, pero era considerado elemento peligroso. Peligroso a pesar de sufrir múltiples dolencias de los pulmones, el corazón y el estómago.

En su juventud, don Antonio había organizado la banda municipal y en ese tiempo, sin luz eléctrica, sin radio, sin discotecas, los ocho músicos dirigidos por don Antonio, deben haber formado el núcleo de la vida social del pueblo, el espinazo de las fiestas de San Juan y de las fogatas de San Sebastián, cuando

11

se encargan panes de dos metros de largo que se untan con sobrasada y con cebolla y se comen alrededor de un fuego chisporroteante.

El hecho es que don Antonio le ganó al Generalísimo que tardó un mes en morir con la ayuda de su batallón de médicos.

Marcia iba de vez en cuando para cambiar unas frases con el viejo que se sentaba a dormitar en el sillón de la sala forrado en plástico verde que le habían destinado porque no se podía acostar a causa de su enfisema.

—¿Cómo va el Generalísimo? —la saludaba siempre. Francisca y los otros hijos le prohibían el periódico para evitar que se excitara.

Marcia, casi a escondidas, le repetía el parte del boletín del mediodía y los dos intercambiaban miradas conspiradoras o sacudían hipócritamente la cabeza.

El médico del pueblo llegaba todas las tardes a las cinco en punto y bloqueaba el camino al Clot con su vehículo mientras cada vez con menos ganas prescribía inyecciones para agujerear aún más la pobre carne fofa y cansada de don Antonio.

Mientras los días se alargaban y todo el país primero esperaba y después se aburría con los altibajos monótonos desde El Pardo, don Antonio aguantaba estoicamente cuando Francisca le gritaba a Gabriel que recién había aprendido a caminar.

El primero de los tres días de luto nacional, Marcia fue a preguntarle por su salud y él le guiñó un ojo.

—Gané —dijo—, me ha costado cuarenta y tantos años pero le gané honradamente. Hasta mañana si Dios quiere.

Tardó dos semanas más para machacar su victoria y no dejar duda alguna respecto a quién había ganado la partida.

El viejo reloj de pie en Ca'n Blau, que más que reloj parecía un personaje de Lewis Carroll, acababa de anunciar sonoramente la media noche cuando llegó Francisca para decirles a Slim y Marcia que todo había terminado. Acto seguido se adueñó del teléfono y empezó a difundir la noticia entre los numerosos parientes y amigos desparramados por la isla.

Marcia se apresuró a arrancar a Slim de su lectura *Sufi* junto a la chimenea y pasaron a casa de los Castañer. Subieron al dormitorio donde don Antonio yacía sobre una sábana en el suelo. El yerno y un hijo habían depositado el sillón en el corral y Slim les ayudó a desarmar la gran cama matrimonial.

La madre de Francisca, enferma y agotada por haber cuidado a su marido durante siete largas semanas, se había acostado en el otro dormitorio con la nieta y casi no se dio cuenta de su muerte.

Slim y los hijos vaciaron el cuarto hasta que no quedó ningún mueble e improvisaron el altar. Una vecina contribuyó al arreglo con un mantel blanco y bordado.

Cuando llegó la vestidora todos bajaron a la cocina. Sólo Francisca y un hermano se quedaron arriba. Empezaron a llegar los vecinos y Marcia y la esposa del pescador calentaron café.

Una hora más tarde Francisca anunció desde la escalera que todos podían subir.

Don Antonio había cambiado totalmente de aspecto. Estaba vestido con un traje gris oscuro y las facciones se le habían alterado levemente, dándole un aire de hacendado, de hombre tranquilo y triunfador.

El cambio provocó un arranque de llanto en la nuera, que se arrodilló en el suelo impulsivamente y le dio dos besos al cadáver, uno en cada mejilla.

—Quítate de allí, qué barbaridad —chilló la vestidora levantándose de un salto de la sillita de Gabriel, con los brazos convertidos en dos aspas—, qué barbaridad —repitió—, ¿nadie te ha dicho en tu vida que los muertos no quieren besos? Cuando la sangre se enfría hay que dejar en paz al finado para que se aleje de una buena vez y no se quede rondando.

La muerte es tratada con mucho respeto aquí en Deyá. La rutina es siempre la misma: vaciar la habitación donde ocurre el deceso, vestir al muerto, tenderlo sobre el suelo esperando que llegue a Sóller el ataúd, improvisar un altar y limpiar minuciosamente la habitación hasta dejarla convertida en una capilla austera donde el cadáver descansa toda esa noche mientras los que vienen a la vela suben a decir su frasecita respetuosa y bajan enseguida a tomar café y coñac y a unirse al grupo de la puerta de entrada para cambiar chismes sobre la vida y milagros del difunto.

A menudo ocurre que alguno se aleja del grupo sigilosamente para orinar y se desploma en el torrente, de donde hay que sacarlo en medio de gritos y carcajadas.

Al día siguiente colocan el ataúd en el Land Rover del secretario del ayuntamiento y lo conducen hasta la iglesia. Allí se dice la misa de cuerpo presente y se prosigue con el entierro en uno de los seis u ocho mausoleos de las familias de Deyá.

Hasta hace pocos años se produjo una situación escandalosa cada vez que un extranjero no católico tenía el descuido de morir en Deyá. Había un recinto de apenas tres metros cuadrados donde se levantaba un muro delgado de marés de cinco centímetros de ancho por un metro y medio de alto, que protegía a la Santa Madre Iglesia Católica, Apostólica y Romana del terrible olor a herejía. El recinto no tardó en llenarse y hubo que empezar a plantarlos en forma vertical.

—Debe ser incomodísimo —se afligía Slim—, imagínate, esperar de pie el juicio final in saecula saeculorum.

A la mañana siguiente del funeral llegan los vecinos con baldes de cal para blanquear todos los muros de los cuartos y corredores por donde ha pasado el muerto. Abren el colchón, le sacan la lana para lavarla y frotan con lejía los muebles de la habitación mortuoria.

Un día Marcia le preguntó al intelectual del pueblo el porqué de todo eso y él le contestó que en toda la isla persistía aún el pavor a la plaga negra, que por eso desinfectaban las casas.

—Pero —se asombró Marcia—, en la época de la plaga no tenían la menor idea de los desinfectantes.

14

—Es posible —balbuceó él—, a lo mejor eso vino después. De todas maneras así es.

Cuando murió don Antonio, Marcia le preguntó a Francisca su versión.

—Putas —le contestó—, ¿usted cree que queremos un alma en pena rondando por la casa? Hay que despistar a los muertos para que se ganen el descanso eterno.

Según Robert, el hecho de que pasen tantas cosas raras en Deyá, que quiere decir Pueblo de Dios, se debe a que hay mucho óxido de hierro en los muros del Teix y que entre el Teix y el mar, es decir, en el pueblo mismo, se produce una polarización de fuerzas electromagnéticas que agudizan extremadamente la sensibilidad de la gente.

Robert afirma que esa polarización misteriosa intensifica la inclinación natural o la esencia de cada uno de los habitantes de Deyá, sea para bien o para mal. Hay muchísimas otras influencias, por supuesto: las estaciones, las tormentas eléctricas, la humedad en el invierno, los mistrales, los sirocos, las fases de la luna.

¡Pero no! —anotó Marcia mucho tiempo después ya en la etapa de revisión de su tesis—, el doctor Stone siempre nos decía que un antropólogo verdadero tiene que abstraerse de la ecuación (situarse dentro de un paréntesis fenomenológico) y seguir adelante. En primer lugar tengo serias dudas de llegar a entender jamás a ese alemanote de Husserl, y después, ¿cómo voy a abstraerme de esa ecuación mientras desentraño la extraordinaria idiosincrasia de Deyá y me doy cuenta que si no hubiera sido tan bocona tal vez nadie habría descubierto la piedra filosofal y todo seguiría igual que antes?

En realidad no sólo es Deyá. En toda la parte norte de la isla hay un triángulo maldito, como el de las Bermudas, que comprende tres pueblos: Deyá, Sóller y Fornalutx. Como prueba

15

histórica de dicho triángulo, la gente cita un refrán del siglo dieciséis que reza así: "El diablo se levanta en vuelo desde Sóller, pasa vigilando Fornalutx y Deyá, que son dominios suyos y vuelve de nuevo a Sóller".

Cuando Slim y Marcia firmaron el contrato de compraventa de Ca'n Blau ya se habían enterado de la costumbre mallorquina de celebrar el acuerdo con varias copas de coñac. Se sentaron en tres sillas destartaladas en medio de lo que iba a ser la sala-comedor y Slim llenó las copas que tío Juan, su vecino, les había prestado.

Jordi, el ex dueño de Ca'n Blau levantó la suya y les dijo que se había dado cuenta de su gusto por las cosas antiguas y quería regalarles un par de puertas viejísimas para cerrar bien la casa.

—Eran de mis tatarabuelos —dijo—, calculo que muy bien deben tener cuatrocientos años.

Cuando las trajo en camión al día siguiente, Marcia se maravilló de su belleza y ese mismo día empezó a lustrar las viejas maderas tachonadas de clavones medievales, con aceite de linaza mezclado con *gasoil*.

—Este pueblo se está deteriorando —se lamentó el viejo que ya vivía en Palma—. Las cosas han ido cambiando paulatinamente desde que yo era niño. En aquella época se sembraban campos de trigo allá arriba en el Teix y la gente subía, aunque le costara cuatro horas, cargando implementos para trabajarlos. Durante la siembra y la cosecha acampaban allí. Las mujeres llegaban dos veces por semana para traerles comida. Yo pasé varias semanas allá —señaló un claro cerca de la cima de la montaña—, atendiendo un horno para fabricar carbón. En esos días teníamos que trabajar duro para salir adelante. Hoy es distinto. Las terrazas están abandonadas y nadie levanta los bancales cuando se derrumban. Todavía hace quince años atrás contrataban gente de Murcia para recoger aceitunas. Empleaban los viejos tafones para exprimir el aceite. Hoy todo eso da pérdidas y ni siquiera se molestan en podar los árboles. Es un escándalo ver cómo los descuidan. Hay olivos por aquí —sacudió la cabeza, sombrío—, que tienen más de mil años. Fueron plantados por los moros. Aunque nadie los cuide, ellos aguantan. Nos miran con paciencia milenaria y saben perfectamente que seguirán de pie cuando nosotros no estemos más.

Qué razón tiene nuestro amigo, pensó Marcia mientras sacaba su cuaderno de antropología comparada, de cuántas cosas habrán sido testigos los viejos olivos de tronco retorcido que tanto le gustaban a Doré. Los plantaron los moros, empezó a escribir, estaban ahí cuando vinieron los piratas, fueron testigos del romance de Chopin y George Sand y a lo mejor los *hippies* los divierten. Cada vez que hay luna llena más de un hippy drogado se quita la ropa y sale aullando por el pueblo. Se me hace que a Robert lo quieren mucho. ¿Qué pensarán de la piedra filosofal, de los platillos voladores? Robert, en sus cuarenta años de habitar Deyá en una casa con vista al mar, ha espiado a centenares de platillos sumergiéndose en busca de su base en dirección norte. Slim está seguro de que no vienen de otros planetas, dice que son tripulados por viajeros del tiempo que han retrocedido al siglo XX en múltiples expediciones científicas para averiguar por qué nosotros, pobres idiotas, hicimos añicos el planeta.

"Qué tonta soy", dijo poniendo el bolígrafo a un lado. "¿Por qué será que estoy siempre divagando? A este paso jamás terminaré la bendita tesis." Se quedó un rato pensativa y empezó a escribir de nuevo.

Todas las poblaciones antiguas de Mallorca, anotó con mucho cuidado, fueron construidas a una distancia respetable del mar debido a las incursiones que hacían los piratas. Deyá no era una

17

excepción y varias veces en el pasado, las había sufrido.

Desde el momento en que los piratas anclaban en la Cala y subían con gran dificultad por el desfiladero del Clot para llegar al pueblo, debe haber habido el tiempo suficiente para llevar a las mujeres, los ancianos y los niños hasta la Torre Mora, y movilizar a los hombres que defendían el poblado.

Antes de los helicópteros artillados y los morteros, la Torre Mora era un reducto inexpugnable. Se levanta desde una colina detrás de Es Moli: una aguja vertical de pura roca que alcanza los quince metros de altura. La corona una plataforma rectangular y amurallada que da cabida o 60 o 70 personas. El único acceso es a través de estrechas gradas cortadas en la piedra. En el último tramo, para alcanzar la plataforma, uno tiene que apoyarse en ambos brazos e impulsarse hacia arriba. Yo, por supuesto, no pude. Un solo hombre, armado con su sable, era capaz de defenderla contra cualquier enemigo.

Son lindas las torres circulares de piedra que adornan esta isla. Fueron construidas a mediados del siglo dieciséis, cuando la flota turca y los bereberes que merodeaban la costa saqueaban el Mediterráneo. Se podía ver de una torre a la otra y día y noche estaban custodiadas durante esa época peligrosa. El sistema de señales era muy eficaz. Durante el día empleaban el humo y durante la noche, las fogatas. La guarnición militar de Palma podía ser alertada en veinte minutos desde cualquier punto de la costa.

Sóller, que está a siete kilómetros al noreste de Deyá, se enorgullece de tener la única bahía a lo largo de la costa norte, en cuyas aguas pueden buscar refugio barcos de calado hondo.

El héroe legendario de Sóller fue un borracho que había sido cañonero y tenía una sola pierna. En un momento crucial de la historia del pueblo, él fue la única persona que pudo cargar, dirigir y disparar el viejo cañón de bronce, aposentado en una loma que mira hacia la entrada del canal. Un mediodía los patriarcas del pueblo le hicieron una urgente visita para informarle que un barco pirata se dirigía hacia Sóller y que sus servicios eran requeridos.

El viejo, sabiendo que gozaba de una posición favorable, dijo que estaba de acuerdo pero que lo tenían que llevar en camilla hasta la loma y que además precisaba una botella de Anís del Mono. Los patriarcas aceptaron de inmediato y el viejo, recostado en un almohadón, sorbía anís de su botella durante el trayecto.

Cuando terminó de supervisar las operaciones iniciales, el barco pirata ya había entrado al canal y se preparaba a botar el ancla. Él miró con desánimo el cañón, ordenó que lo elevaran un poquito más, colocó una tea en el agujero y el proyectil salió disparado y partió el mástil en dos. Los piratas cortaron apresuradamente el enmarañado aparejo, sacaron los remos y se alejaron ignominiosamente, sin atreverse a volver jamás.

Mientras Marcia quitaba la hojarasca de las macetas en la terraza, vio al águila haciendo círculos lentos sobre el Teix. Reconoció de pronto que había sido negligente con su árbol y decidió irlo a visitar esa misma mañana.

Con su pequeño rastrillo entre las manos subió al estudio en puntas de pie y sacó los binoculares del armario de Slim.

—Otra vez de pájaros —dijo él levantando el rostro.

—Mjm, ¿has visto al águila?

—Tienes razón, ahí está —dijo Slim mirando a través de la ventana—, no la había visto desde hacía meses.

—Probablemente se aburrió con el panorama que le ofrece la Foradada —dijo Marcia y se inclinó para darle un beso en la incipiente calva—, trabaja bien, estaré de regreso para el almuerzo.

Se detuvo en el baño para enjuagar el frasco vacío de *Je Reviens* y al bajar a la cocina lo llenó cuidadosamente con coñac, apretó la tapa y lo colocó junto a los binoculares y el ras-

19

trillo, en la cesta. Hurgó dentro de ella un momento para estar segura de que no le faltaban los cigarrillos y el encendedor y se la colgó al hombro.

Ni siquiera Slim estaba enterado del secreto.

Como siempre, se detuvo detrás de Ca'n Oliver para descansar un momento y cerciorarse de que nadie la vigilaba. Comenzó a abrirse paso por la maleza hasta alcanzar la terraza que rodeaba la colina al otro lado del pueblo. Estaba jadeando por la subida. Una infinita serie de escaleras estrechas de piedra conducían de una a otra terraza. Se echó sobre la tierra con gratitud, apoyó la espalda contra el tronco e inhaló con avidez el aire oloroso a pino.

El pueblo desde allí era una conglomeración accidental de casas de muñeca tiradas cuesta abajo por El Clot y arregladas en hileras un poco más ordenadas alrededor de las terrazas que rodean el cono del Puig. La cinta estrecha de la carretera asfaltada merodea por el valle, aparece en Ca'n Quet, sube al Es Moli y hace una curva cerrada allí donde cruza el torrente, antes de relampaguear por la calle recta del centro comercial y desaparecer hacia Sóller.

Desde su mirador debajo del enorme árbol, Marcia era invisible para la gente de abajo, a menos que se vistiera de blanco, lo cual nunca hacía en esas expediciones.

Con la ayuda de sus binoculares podía escrutar las actividades de la gente en cualquier rincón del pueblo. Ahora mismo, por ejemplo, Laura de Las Palmeras estaba gesticulando y sin duda gritándole en mallorquín a la señora Marroig al otro lado de la carretera, mientras el loco Miguel, después de haber terminado su café-coñac, deambulaba lentamente por el camino del Clot hacia su casa. Y allí venía Blanca Nieves en su moto. Pasó por la casa de Miguel y se detuvo frente a Ca'n Blau. Había correo esperando a Marcia.

La costra rugosa del árbol la reconfortaba tanto como su sombra, como el susurro de la brisa entre sus ramas olorosas, como el cojín de las agujas caídas sobre las cuales estaba sentada. Acostumbraba ir allí una o dos veces al mes, siempre que tenía un problema enmarañado o se sentía con tremendas ganas de quitarse su máscara social para identificarse de nuevo con los ásperos verdes, marrones y grises del paisaje.

Se volvió para espiar entre las ramas hacia el Teix. El águila había desaparecido después de cumplir su misión. Le tocaba ahora a ella.

Sacó de la cesta el rastrillo, se levantó y caminó en círculos debajo del árbol agachándose una y otra vez para arrancar nuevas malezas que habían brotado desde su última visita. Trabajó metódicamente alrededor del perímetro, ensanchando el círculo limpio que rodeaba el árbol. En realidad el terreno era muy pedregoso y había un peligro mínimo de que un incendio pudiese alcanzar su árbol, pero a Marcia la inquietaban las malezas que se alojaban alrededor.

Cuando hubo terminado, se enderezó de nuevo, se desperezó lentamente y regresó a su cesta. Metió allí el rastrillo y sacó el frasco. Buscó el lugar exacto entre dos raíces protuberantes y vertió un chorro de coñac sobre la tierra.

"No hay duda que algunos me considerarían loca", se dijo, "pero para mí esto es un gesto de amistad y deferencia hacia un viejo y respetado vecino".

Regresó a su lugar junto al tronco, metió el frasco vacío en la cesta y se sentó de nuevo con el torso muy derecho y las piernas cruzadas en posición de loto. Cerró los ojos, respiró rítmicamente y después de unos momentos estuvo consciente de la presencia de Águila de Mar. Estaba acurrucado al estilo de los aborígenes, con los pies planos sobre la tierra y los brazos alrededor de las rodillas, mientras miraba con gravedad hacia el mar.

No era que Marcia lo viera realmente, eso sólo había pasado una vez, en sueños, pero estaba plenamente consciente de su presencia, de su postura exacta.

—Buenos días, Águila de Mar —lo saludó en silencio.

21

—Bon día, Marcia —gruñó él también silenciosamente—, Águila de Mar te agradece tu libación.

—Lo hago con mucho gusto.

Águila de Mar se hamaqueaba hacia adelante y hacia atrás apoyado en sus talones.

—Te llamé porque sé que estás preocupada —dijo.

—Es por Robert —estalló Marcia—, se está volviendo viejo y enfermo, ¿qué va a ser de nosotros cuando muera?

Águila de Mar escrutó la línea plana del horizonte.

—Alguien aparecerá, siempre sucede así.

—Pero ¿quién?, no puedo pensar en nadie que tenga su fuerza, su sabiduría. Stephen es simpático, pero demasiado, ¿cómo expresarlo?, demasiado obsesivo con ciertas cosas.

—No será Stephen —dijo Águila de Mar en un tono rotundo.

—Todo el mundo está nervioso —dijo Marcia—, durante el invierno es muy linda la vida aquí, pero después de junio todo cambia, cuando comienzan a llegar los turistas de Inglaterra, Francia, Alemania, y ya ni a los cafés se puede ir. Cada vez más se oye hablar alemán. Están arruinando el pueblo. A los turistas no les importa.

—Paciencia —aconsejó Águila de Mar.

—El pueblo aún no ha reclamado su víctima de sangre este año y todos tenemos miedo —dijo Marcia.

—No te exaltes sin motivo —murmuró Águila de Mar y su voz se mezcló con el susurro de la brisa entre las ramas mientras se diluía su presencia dejando a Marcia sola bajo el enorme árbol.

Ella musitó algo con desconsuelo y abrió los ojos. Siempre era reconfortante parlotear con el viejo, pero esta vez no le había ofrecido ningún consejo válido. Estiró las piernas, extrajo un cigarrillo del paquete y lo encendió. No importaba, de todas maneras Águila de Mar era un guardián maravilloso de su árbol. Varias veces, desde la terraza de Ca'n Blau, ella había observado con preocupación pequeños grupos de gente que caminaban por las terrazas hacia su promontorio, pero nadie llegaba: o bien las zarzamoras y la maleza lo impedían, o Águila de Mar les metía en la cabeza otro objetivo más interesante.

En un arrebato de entusiasmo Slim plantó grandes cantidades de vegetales en la terraza que compró detrás de Ca'n Blau. Todo ese primer verano colmaron a los vecinos con tomates, lechugas, zanahorias, cebollas y rábanos, hasta que la verdulera amistosamente les advirtió que lo que hacían saboteaba su negocio. Desde entonces Slim sólo sembraba lo suficiente para satisfacer sus propias necesidades, dejándole a Marcia espacio para sus flores que tanto le gustaban.

No era una ocupación económicamente viable. Tanto él como Marcia ponían muchas horas de trabajo a cambio de unos cuantos kilos de vegetales y frutas que hubieran podido comprar por unos pocos cientos de pesetas, pero Slim insistió porfiadamente en la necesidad de mantener la hortaliza y Marcia, tal como el doctor le había aconsejado, secundó su deseo.

Slim quería también tener un gallinero y criar conejos, pero allí Marcia se opuso.

—Necesitaremos fuentes de proteínas después del apocalipsis —protestó él—, con los pollos y los conejos conseguiríamos un ciclo ecológico cerrado. Proveerían el fertilizante que necesito para mantener el abono.

—De ninguna manera —dijo Marcia—, ni tú ni yo somos capaces de matar y despellejar a un conejo que hemos criado o de torcerle el pescuezo y desplumar a una gallina que ha puesto huevos para nuestro desayuno. Si quieres proteínas, tienes que contentarte con sembrar frijoles.

La razón por la cual Slim y Marcia habían comprado Ca'n Blau y la terraza detrás, la razón por la que habían venido a Mallorca, instalándose en Deyá, se debía en primer lugar, a la experiencia mística de Slim hacía más o menos diez años.

23

Marcia recordó con desagrado toda aquella época angustiosa. Había ocurrido cuando vivían en París. A medida que Slim deambulaba por la quinta dimensión haciendo turismo en su cuerpo astral, se dio cuenta de que el planeta estaba condenado y que se avecinaba el apocalipsis. Le describió a Marcia su experiencia con muchos titubeos. Había olvidado todo debido a los choques eléctricos que le salvaron su cordura.

Mientras su cuerpo físico yacía catatónico en la cama del hospital y las enfermeras lo alimentaban por medio de un tubo metido en la nariz, él experimentó una larga visión cósmica del universo, desde su desdoblamiento en el *Ahora Eterno*. Pudo ver nítidamente todos los males que padecía el planeta y la inevitabilidad de la catástrofe que se avecinaba.

—Desde mi punto de vista privilegiado —balbuceó Slim mientras se recuperaba—, era como si la tierra fuera un gigantesco tanque séptico, donde hervían y burbujeaban gases nocivos, mientras minúsculas figuras humanas trataban desesperadamente de salvarse agarrándose a balsas de excrementos o arrastrándose por islas de fango maloliente.

Sólo cuando Marcia se dio cuenta de que otro mes de hospital los dejaría en la bancarrota, aceptó de mala gana la receta del doctor Buxton para curar a Slim.

La receta, milagrosa, según el doctor, consistía en una serie de masivos choques eléctricos en el cerebro.

Los primeros dos días del tratamiento Slim no reaccionó. Después de las contorsiones galvánicas y las muecas horribles que las acompañaban, el paciente simplemente reasumió su posición fetal, regresando al lugar inefable donde le estaban mostrando la realidad cósmica.

Fue el tercer choque el que por fin le devolvió la conciencia. Apenas despertó empezó a insultar al médico.

—Déjeme en paz —dijo petulante—, ¿no se da cuenta que no tengo intención de regresar a este maldito mundo?

El doctor, por supuesto, se limitó a mirarlo con ironía y si-

24

guió adelante con el tratamiento.

Slim por fin se decidió a cooperar. No quería sufrir nuevas frituras en lo que quedaba de sus células encefálicas. En cada una de sus cotidianas sesiones de psicoterapia se quejaba amargamente del mundo a que había sido devuelto.

El doctor Buxton, cada vez con más preocupación, aguantó una semana los balbuceos inconexos de Slim. Finalmente decidió llamar a Marcia para tener una entrevista con ambos.

—He estado analizando el caso —dijo lacónicamente—, y temo que no escarbé lo suficiente. Tendremos que extirpar los recuerdos que le quedan —se dirigió a Slim—, o nunca conocerá la paz y la tranquilidad. Hay otra cosa además —frunció el entrecejo—, usted tiene una facultad crítica hiperdesarrollada que le molesta constantemente. Pienso extirpar eso con todo lo demás. Ambos tendrán que firmar esta autorización.

Les extendió el formulario y una semana más tarde Slim se había curado totalmente.

Pese a que había perdido todas las memorias de su experiencia mística, así como también la mayor parte de sus memorias terrestres, el doctor Buxton tenía razón: Slim se sentía mucho más acomodado al mundo. Apenas sintió un calor beatífico en la zona cardíaca cuando trató en vano de recordar los detalles de su viaje por el universo interior, y la pérdida de su facultad crítica no le molestaba en lo más mínimo.

Ya no estaba tan seguro de cómo se anunciaría el día del juicio final. Lo lógico era que se produjera una guerra termonuclear o que la creciente masa de hielo en el antártico desequilibrara la rotación planetaria provocando un abrupto cambio del eje terrestre.

Fuese como fuese Slim estaba determinado a huir con Marcia de París, en busca de un lugar que pudiera quedar a salvo de la destrucción en ese cataclismo planetario.

El médico le había advertido a Marcia que la convalecencia y recuperación de Slim dependían en gran parte de ella, que

25

debía darle gusto en sus antojos por más excéntricos y disparatados que le parecieran.

Marcia, que siempre se había sentido tan bien en París, empezó a empacar los libros y los discos que tenían en el apartamento, mientras Slim se pasaba en la Bibliothèque Nationale, sumergido en textos de cosmología y geografía.

—La hora de elegir ha llegado —anunció una noche mientras abría un atlas sobre la mesa—. Si es una guerra termonuclear —explicó—, el mejor lugar para pasarla sería una isla sin bases militares y con un mínimo de importancia estratégica. Debe estar situada en una zona templada y ser lo suficientemente grande como para poder autoabastecerse de productos agrícolas. El efecto probable de un cambio polar —dijo—, es un asunto mucho más complicado. La última vez que ocurrió —abrió el atlas en un mapa de África—, el polo norte había estado situado aquí, en la región del lago Tchad. Ésa fue la catástrofe que acabó con La Atlántida, pero miles de años después, en la época de Platón, todavía quedaba suficiente agua dulce del deshielo polar como para que toda la región del gran lago fuese fértil. Había hipopótamos, elefantes y jirafas viviendo a sus anchas en lo que hoy día es uno de los lugares más hostiles y desiertos del planeta.

Slim carraspeó y asumió su expresión profesoral, cosa que siempre hacía cuando estaba afirmando una tesis dudosa.

—El problema consiste en lo siguiente —prosiguió—. Cuando el hielo polar se haya pasado en un abrir y cerrar de ojos al nuevo ecuador, el deshielo repentino hará subir el nivel de todos los océanos del mundo en aproximadamente veinte metros. También son previsibles los terremotos, maremotos y tormentas ciclónicas cuando el planeta se vuelque de pronto y busque el equilibrio en su nuevo eje. Debido a todo eso, tendremos que encontrar un lugar a un mínimo de cien metros sobre el nivel del mar, y acumular una reserva de comestibles que nos dure un año, como hacen los Mormones.

Slim le mostró sus cálculos a Marcia y la convenció de que

26

el nuevo Polo Norte estaría situado más o menos donde está actualmente Los Ángeles, California, y que la isla de Mallorca se encontraría a unos 15 grados sobre el nuevo ecuador y tendría un clima subtropical y considerablemente más húmedo que el actual.

Así fue como vinieron a Mallorca. A los dos meses escasos de su llegada habían comprado Ca'n Blau y Slim se ocupaba de vigilar la obra de reconstrucción.

Cuando Slim y Marcia conocieron por primera vez a la familia Barceló, Slim estaba terminando de remodelar Ca'n Blau y tenía dos opciones para instalar el agua corriente.

—La puedes conseguir del viejo Tobías —le dijo Pepe Fernández—, pero ¡ojo! con ese viejo, es un vivo. Ha vendido más agua de la que tiene en su fuente y allí por agosto les empieza a faltar a las familias que viven en el Puig. Si conectas con Ca'n Barceló tendrás un chorro adecuado y el agua no te faltará.

Le dio la dirección en Palma y el borrador de un contrato.

Slim y Marcia bajaron una tarde a visitar a los Barceló. La señora llevó la batuta mientras el señor se mantenía derrumbado en un sillón. Después que hubo conseguido el precio que quería y que Slim y Marcia hubieron firmado el contrato, se dio cuenta de la presencia de su marido y como disculpándose dijo:

—Tiene que cuidarse mucho el pobre. Padece del corazón.

Sorpresivamente la figura en el sillón se estiró.

—Sí —dijo con voz pastosa—, hace tres años sufrí un infarto y cuando salí de la clínica me encontré con que me habían instalado una maquinita aquí —se tocó delicadamente el pecho—, es una suerte de reloj eléctronico que va controlando los latidos de mi corazón. Acérquese —se dirigió a Marcia—, venga a tocármelo.

Marcia lo hizo con una mezcla de pudor y asco. Puso su mano lo más ligeramente que pudo sobre el pecho del señor, pero él se la cogió con una de las suyas, la bajó hasta donde le empezaba la barriga (era allí donde tenía instalada la maquinita), y forzó a Marcia a hundirla en su carne para que pudiera palpársela bien.

La señora Barceló la miraba con un brillo extraño en los ojos y los dos empezaron a reírse y llamaron a Slim para que él también la tocara, regocijándose con el asombro de ambos.

—Estoy muy contento de que hayan comprado Ca'n Blau —dijo el señor Barceló—, a pesar de que son jóvenes se ve que son gente seria y no como esos *hippies* que andan por allí.

Si supiera de mis días de *flower girl* en Haight Ashbury, se dijo Marcia esbozando una sonrisa, de la iluminación de Slim cuando vivíamos en París.

Robert está convencido de que soy una hamadríade —anotó Marcia en su cuaderno de observaciones personales—, y le parece la cosa más natural.

—Hay muchas hamadríades sueltas por el mundo —le dijo mientras caminaban cuesta abajo por Ei Clot, entre el ruido de las cascadas que caían al torrente—. Lástima que casi ninguna llega a averiguar nunca su naturaleza real. Después que encuentres tu árbol —la miró bajo su sombrero cordobés—, debes cuidarte mucho de no revelarle tu secreto a nadie, ni siquiera a Slim. Si alguien sabe qué árbol corresponde a qué hamadríade, ese alguien puede ejercer un control fatídico sobre uno.

Marcia se quedó petrificada. Tardó en encontrar su árbol, pero cuando lo hubo conseguido, no le cupo la menor duda de que había acertado. Aprendió mucho del mundo vegetal, cosas que ni siquiera había sospechado antes. Cada vez que podaba, regaba o quitaba el polvo a sus plantas se daba cuenta de que su árbol era consciente de lo que ella hacía.

Las raíces les sirven a los árboles de sistema sensorial —siguió escribiendo—, miles y miles de raíces entrelazadas elaboran redes de ganglios vegetales en forma de una gran alfombra ininterrumpida. Los árboles silvestres comprenden mucho mejor a las ovejas que los seres humanos. Estos animalitos viven en estrecha simbiosis con el mundo vegetal. Podan la yerba y las malezas para dejarles sitio a las nuevas hojas y mantienen limpio el espacio vital debajo de cada árbol. Los árboles cultivados, particularmente los frutales, mantienen un vínculo amistoso con los seres humanos que remueven la tierra para dejar que sus raíces respiren. Se sienten agradecidos con todo aquel que los alimenta con abono y agua, que recoge sus frutos cuando le pesan demasiado, que poda sus ramas secas.

Cada hombre o mujer que trabaja en el campo con los árboles, es adoptado por uno de ellos y desde entonces el árbol queda habitado. Los árboles no habitados no llegan nunca a comprender el extraño don de la locomoción. Les divierte contemplar la actividad animal, incluso se entusiasman mirándola, pero no comprenden. Para ellos el mundo animal es la quinta dimensión. Su propio continuum está enraizado e inmóvol, salvo por estremecimientos ocasionales producidos por el viento. La dimensión. Su propio continuum está enraizado e inmóvil, salvo —se quedó un momento pensativa—, es cuando adopta a un ser humano y cuidadosamente archiva todos sus recuerdos en los anillos que anualmente se forman en su tronco.

Desde el mismo día en que su árbol la adoptó, Marcia se dio cuenta de que el viejo mito de las hamadríades era una distorsión de la verdad. No es cierto que cuando un árbol muere, muera también su alter ego humano. Lo que sucede es que cuando una persona adoptada por un árbol muere, su espíritu, es decir, la esencia de su personalidad, queda enclaustrada en el árbol y desde allí vigila inmóvil a sus hijos, nietos y bisnietos, compartiendo con ellos sus penas y alegrías.

El tío Juan, por ejemplo, nunca tuvo hijos. Vivió siempre con su hermana sordomuda y quizás por eso, por el silencio forzado que había en la casa, era tan parlanchín cuando salía. Tenía una

29

memoria singular. Recordaba todo el abanico de acontecimientos que había desfilado ante sus ojos, con las fechas exactas. Recordaba también las leyendas del pueblo y en las noches de verano, antes de cena, los niños lo acosaban para que les contara alguna.

A Slim lo hizo reír mucho el episodio de Tomeu Castañer, el gigante bonachón que ante la mirada atónita de Marcia levantó él solito la parte trasera de una camioneta mal estacionada que obstruía el camino al Clot y la cambió de sitio para poder pasar en su camión. Así como era de fuerte era también de sentimental; hasta cobarde a veces. Cualquier heridita que sufriera lo hacía llorar y corría desesperado donde su madre. Tío Juan contaba que una noche, mientras estaba en el bar jugando naipes, había sido asediado por un extranjero borracho que buscaba pleito. Tomeu se levantó pidiéndole por favor que dejara de fastidiar, mientras el otro le lanzaba puñetazos a diestra y siniestra. Por fin Tomeu perdió la paciencia y avanzó lentamente como un tanque o una aplanadora, diciéndole: "por favor váyase a otra parte", y seguía avanzando, propinándole al forastero un barrigazo: "por favor aquí no" y otro barrigazo: "estamos molestando a la gente" y con tres o cuatro barrigazos más lo barrió hasta la terraza donde lo acorraló contra la pared de piedra, se inclinó sobre el tipo cuidándose mucho de no tocarlo con las manos, le exprimió el aire de los pulmones y lo dejó sentado y jadeante sobre el pavimento.

Slim y Marcia conocieron al tío Juan poco antes de su muerte. Sólo cuando Marcia descubrió su árbol reanudó su amistad con el viejo. Los dos árboles eran vecinos, y el tío Juan, que nunca dejó de ser parlanchín, le contaba al árbol de Marcia episodios que a ella le hacían reír o le nublaban de lágrimas los ojos.

Qué ganas de compartir todo esto con Slim, se dijo, dejando a un lado el bolígrafo. Pero no, debo ser firme. Slim aún en sus buenas épocas es un tipo muy voluntarioso y no querría estar sujeta a sus excentricidades.

Anteayer, Slim y Marcia subieron a la casa de Stephen a la hora del té. Stephen siempre pone la mesa como para servirle a ocho o diez personas, pero la mayoría de las veces nadie aparece, salvo Robert, alguno que otro mesías de paso por Deyá, o Jim, que se pasa la vida caminando y buscando señales que confirmen su tesis de que el fin del mundo se aproxima.

Robert llega todos los días, se come por lo menos tres tostadas untadas de miel-mantequilla (especialidad de la casa) y sorbe su té despacito. Sin lugar a dudas, Stephen es un especialista en cómo hacer buen té. Slim y Marcia eran los únicos ese día. Robert estaba en Palma, cosa que le fastidia enormemente. Desde que Stephen abrió la puerta, Marcia pudo advertir que estaba contentísimo de tener a alguien con quien poder hablar, pero se contuvo hasta que recalentó el té y cortó media *baguette* de pan de trigo en rodajas anchas.

Se sentó frente a ellos, en el largo taburete de madera que él mismo había construido, porque a Stephen también le gusta la carpintería y es un gran restaurador de muebles, y les preguntó con ojos agrandados si habían escuchado la noticia.

—¿La nueva crisis de la libra? —preguntó Slim que a pesar de haber sufrido iluminaciones y de leer textos sufis siempre estaba al tanto de la bolsa.

—No —refunfuñó Stephen, que apenas tiene un cobre y que cada mes ve cómo sus rentas se evaporan—, me refiero a lo que pasó en el Puig.

—¿Qué pasó? —se interesó Marcia.

—El *poltergeist* de la casa número cuatro ha pasado a la tres y está haciendo estragos. Sally y Vicky estaban anoche con unos amigos cuando de repente una de ellas sintió ganas de ir al baño. Ya ustedes saben cómo es de complicado, con el baño afuera y todo eso. Al bajar, a Sally le extrañó ver un sillón atravesado al pie de la escalera, pero lo enderezó y salió sin darle mayor importancia. Cuando volvió se encontró con que alguien le había dado vuelta a la llave desde adentro. Empezó a llamar a gritos para que vinieran a abrirle, pero los otros no la oían porque estaban tocando discos.

—Y seguramente fumando hash —añadió Slim.

—Por fin, cuando terminó la música, uno de los invitados bajó —prosiguió Stephen—, encendió las luces y vio que todo el contenido del arcón estaba desparramado por el suelo y que el *poltergeist*, como de costumbre, había desconectado el balde de la cadena que lo sujetaba y lo había hundido en la cisterna.

—¿Seguro que no estaban de viaje? —preguntó Slim.

—Seguro —lo miró Stephen con rabia—, desde que a Sally le dio por volar hace dos meses, juró que nunca más iba a tomar LSD. El problema está en la cisterna —prosiguió intenso—. Ruth, ¿se acuerdan de ella?, vivió allí largos meses y consultó el *ouija board*. Le dijeron que el problema estaba en la cisterna.

—¿Te das cuenta, Slim? —interrumpió Marcia—, éste es pueblo de Dios y de Mandinga.

—¿De qué? —se interesó Stephen.

—De Mandinga, que vale decir del diablo. Carlos Obregón, el cuarto mesías que apareció en Deyá, se suicidó arrojandose de cabeza a esa mismísima cisterna.

—Sí —dijo Stephen—, pero lo que ustedes ignoran es que esa cisterna se extiende debajo de las dos casas y estoy seguro de que cuando don Pedro y Robert hicieron la ceremonia del exorcismo en la número cuatro...

—¿Cómo? —se asombró Slim—, ¿Robert participó con don Pedro en un acto de exorcismo?

—Por supuesto —dijo Stephen abriendo mucho los ojos y mirándolo fijamente—, don Pedro es bastante corto de luces y no domina el latín. Después de que Ruth tuvo el aborto a causa de las payasadas del *poltergeist*, Robert la invitó a su casa a que se recuperara y se fue con don Pedro a hacer el exorcismo.

—Fue una de sus musas, ¿verdad? —quiso saber Marcia.

—No sé —se impacientó Stephen—, pero desde entonces no ha pasado nada en la número cuatro. Obviamente el alma torturada se retiró a la parte de la cisterna que se conecta con la número tres.

—La casa de Meiwa —saltó Marcia—, ¿se acuerdan que cuando vivía allí se quejaba de que a altas horas de la noche una mano insustancial sacaba acordes de su piano y que a menudo se encontraba con dibujos obscenos en las paredes?

—Sí —dijo Slim—, pero cuando su marido volvió y tapó un enorme agujero en el traspatio por donde fácilmente podría haber pasado un niño, todos los fantasmas se acabaron.

—Larry tiene una personalidad muy fuerte —musitó Stephen—, a lo mejor ése fue el factor decisivo.

En ese momento tocaron a la puerta. Marcia supo enseguida que era Robert y se levantó alborozada a abrirle. Acababa de leer *La Diosa Blanca* y tenía muchas preguntas que hacerle.

Cuando empezaron los trabajos de remodelación en Ca'n Blau, Slim y Marcia alquilaron un apartamento en Ca'n Fusimanyi para poder estar cerca.

Ca'n Fusimanyi es una linda casona de piedra del siglo dieciséis que le perteneció hace muchos años a la familia Visconti, de la cual apenas queda un descendiente directo en Deyá. El portal tiene su escudo, con una leyenda que reza: Por la fuerza o por la maña, de ahí el nombre de Fusimanyi.

Según los mallorquines Cagliostro vivió allí cuando llegó a Deyá buscando los manuscritos de Raimundo Lulio para poder ahondar en su alquimia. Dicen que Picasso vivió allí también de incógnito y Salvador Dalí y don Santiago Rusiñol.

La casa le pertenece ahora a un cura que vive en Palma y su madre es la encargada de cuidarla y de elegir a los inquilinos con mucho cuidado. Según ella hay muchos tesoros y no cualquiera entra allí.

Durante sus vacaciones europeas Janice y John, que vivían en California, pasaron por Mallorca. Marcia los invitó a quedarse unos días con ellos. Janice era su amiga más cercana. Juntas habían sido *flower girls* en San Francisco y juntas asistieron a las clases del doctor Stone, de quien Janice era ahora asistente.

Apenas pusieron las maletas en el suelo, Janice se dedicó a examinar los objetos y cuadros del salón. Las paredes estaban cubiertas de paisajes marinos y estampas de santos. En las repisas había platos mallorquines, algunos de ellos muy antiguos.

De pronto Janice se entusiasmó con un espejito cuadrado que colgaba, entre dos cromos, de una pared lateral. Janice era coleccionista de espejos y se alborotó con el hallazgo. Era un espejo inquietante, uno de esos espejos oscuros que llegan a hipnotizar. A Marcia no le gustaba, sentía rechazo por él, hasta había pensado quitarlo mientras estuvieran allí. Janice, en cambio, se pasaba largos ratos mirándolo y juraba que veía cosas alucinantes. Un día antes de tomar el avión para California les anunció a todos que no podía vivir sin ese espejo y que había decidido llevárselo consigo. Después de todo no era un objeto de valor.

Slim, John y Marcia hicieron lo posible por disuadirla pero no hubo caso. Como estaba embarazada era peligroso llevarle la contraria. Janice ofreció comprarlo, pero Marcia sabía muy bien que el cura y su madre no querrían venderlo. Se complicarían aún más las cosas. A lo mejor ni cuenta se iban a dar. Janice lo metió cuidadosamente entre su ropa y cerró la maleta. Esa noche los cuatro salieron a cenar a Ca'n Quet. Cuando se fueron a acostar, pasada la media noche, Janice encontró debajo de su colchón una muñeca de trapo sin brazos. Dio un grito de horror y la arrojó por la ventana. John trató de consolarla, le dijo que seguramente alguna niña la había dejado olvidada allí, pero Janice insistía en que no estaba cuando llegaron, que ella había arreglado la cama todos los días y nunca la había visto.

A Slim le inquietó el incidente. Cagliostro, le dijo a Marcia cuando estuvieron solos, utilizaba espejos y recipientes de agua para sus clarividencias y era bien sabido que las muñecas eran objetos sumamente peligrosos, pero ambos decidieron no aumentar más la tensión nerviosa de Janice y se durmieron.

Cinco meses más tarde, en un hospital de San Francisco Janice dio a luz una niña sin brazos.

Mucho antes de que Slim y Marcia llegaran a Deyá, anotó Marcia en su cuaderno de leyendas locales, antes de que hubieran instalado los teléfonos automáticos, hubo un acontecimiento que conmovió a todos los habitantes del triángulo maldito.

Las telefonistas de Deyá, Fornalutx y Sóller eran brujas y escuchaban todas las conversaciones telefónicas por más triviales que fueran. Sus casas eran siempre el punto de reunión de las viejas ávidas de chismes.

La telefonista de Fornalutx tenía una hija que se enamoró perdidamente del guardia civil que por ese entonces estaba estacionado allí para preservar el orden público. La pobre muchacha hizo lo posible por llamarle la atención, pero no hubo caso. El guardia, un muchacho esbelto, con la gracia de los murcianos, estaba enamorado de la hija morena y espigada del juez de paz. Nadie sabe exactamente lo que pasó, pero lo cierto es que la hija de la telefonista, sintiéndose defraudada, se encerró en su habitación, negándose a salir por varios días. Una semana más tarde, en noche de luna llena, la hija del juez de paz, tumbó una mesa con vasos y todo en la terraza del Café Deportivo, corrió a la calle aullando como loba y desgarrándose la ropa y se dirigió en cueros hacia el cementerio. Las buenas señoras que estaban sentadas en sus sillas-observatorio pudieron por fin frenarla en su carrera, la envolvieron en una frazada y se la entregaron a sus padres, que afligidos y llorosos, la encerraron con llave en su habitación.

A la mañana siguiente, antes de la misa de las siete, el cura encontró al joven guardia civil abrazado a una lápida del cementerio, llorando amargamente y con el pelo que le azuleaba de negro, repentinamente blanco.

—¡Mira quién viene allí! —codeó Slim a Marcia.

Era una mañana de fines de junio. El mar estaba tranquilo, de un azul intenso y casi no había nadie en la playa.

Marcia volvió a ver. El San Juan Bautista de Deyá, con su cabello cobrizo que le caía hasta los hombros, y su larga túnica celeste, pasó junto a ellos sin mirarlos. Iba descalzo y parecía volar sobre las rocas. Se detuvo a platicar un rato con Stephen que estaba ensimismado buscando caracoles y piedras a la orilla del agua (Stephen tenía la colección de piedras más linda de Deyá), siguió caminando con el agua hasta los tobillos y se detuvo de nuevo frente a Patrick y Jamie, dos pequeños demonios que se dedicaban a hacerles imposible la vida a los demás, extendió sobre sus cabezas la palma de la mano y desapareció detrás de la roca desde donde Robert se lanzaba a nadar.

Patrick y Jamie dejaron de alborotar como por encanto y se le quedaron viendo estupefactos.

—Seguro que se está preparando para el milagro —dijo Slim—, verás cómo dentro de unos segundos aparecerá caminando sobre las aguas.

Marcia se echó a reír y saludó a June Redgrave que se instalaba en otra roca.

June era una actriz jubilada. Vivía en Deyá desde hacía muchos años. Vivía sola, en una casa alejada del pueblo, y su única compañía era un canario y un enorme pavo tuerto que se paseaba airoso por el jardín.

Todas las tardes, a eso de las siete, June se vestía de largo, encendía la chimenea si era invierno, preparaba dos *Bloody Mary* y se sentaba a conversar con sus amigos predilectos: a veces era Errol Flynn, otras veces Cary Grant; el más asiduo de todos era Victor Mature, con quien June pasaba ratos inolvidables recordando el Hollywood de sus tiempos.

—Ni señas de San Juan —dijo Marcia, nerviosa, después de un rato—, ¿se habrá ahogado?

Slim se estremeció. Deyá aún no había cobrado su víctima

ese año.

—¿Por qué no vamos a explorar? —ofreció Marcia.

En ese momento apareció la cabeza de San Juan. Nadaba
estilo rana y su túnica celeste flotaba entre las aguas.

Miramar es una vieja casa de gran interés, anotó Marcia en su
cuaderno de trabajo. El beato Raimundo Lulio que además de
iluminado y sufi era alquimista y fabricó la piedra filosofal, la
había construido en el año 1237 para que sirviera como sede del
primer instituto de lenguas orientales en Europa. Después sirvió
como monasterio por muchos años. Todavía existe la linda capilla arcaica y una hilera de columnas y arcos góticos que for-
maban parte de lo que fue el claustro.

Ben Austin y su mujer, Ruth, que escribían cada tres meses
un libro pornográfico para una editorial de Colifornia, se instalaron allí y dos semanas más tarde, en medio de una horrible
tormenta eléctrica de verano, un rayo partió en dos uno de los
muros de su dormitorio.

En que líos me estoy metiendo, se dijo Marcia, este último
debiera estar en el cuaderno de residentes extranjeros. Bueno, no
importa, ya lo arreglaré después.

En ese entonces, siguió escribiendo, aún no habían empezado
las orgías y misas negras que llegaron a convertirse en el tema
central de ciertos círculos sofisticados de Deyá.

Ben Austin no anunciaba las actividades semanales en Miramar, pero tampoco se tomó el trabajo de ocultarlo. A cada muchacha hippy apetecible que aparecía en el pueblo, la invitaba
con o sin compañero, a presenciar la tremenda proeza de Tony
de las Cabras, a quien Ben le había otorgado el papel estelar.

Las orgías continuaron durante el otoño y el invierno, pero allí
por año nuevo Ruth y Ben se separaron. A Ruth le empezaron

a aburrir las continuas fiestas de fin de semana, y a Ben se le habían despertado celos irracionales para con Tony.

Cuando Ruth se pasó a vivir a la casa del *poltergeist* en el Puig, Angela se instaló en Miramar y las orgías cobraron un ritmo todavía más frenético.

Ben y ella se ingeniaron una *mise en scène* especial para el viernes santo. Según los cuchicheos estremecidos que circularon después, iban a celebrar la misa negra utilizando la mesa del comedor como altar. La cubrirían con un mantel blanco manchado de sangre menstrual y servirían allí un banquete lujoso para los que no estuvieran demasiado borrachos o drogados y para quienes aún conservaran el apetito.

Ben y Angela salieron en coche hacia Palma en la mañana del viernes santo para comprar los últimos manjares. Como de costumbre Ben estaba dopado y hacía maniobras atrevidas al borde del abismo.

Slim y Marcia apenas lo conocían. Lo vieron una vez cuando llegó borracho a un recital de poesía en casa de unos amigos. Se empezó a burlar de todo el mundo y a menudo interrumpía la lectura con alabanzas irónicas. Daba la impresión de uno de esos niños tremendistas que sólo se sienten vivos mientras le asestan patadas y puñetazos a un contrincante humano o a alguna creencia convencional. A Slim le cayó muy mal. Después de su iluminación evitaba esa clase de personas.

Angela confesó más tarde que estaba petrificada por la manera en la que Ben manejaba ese día. Le divertía asustarla y ella sabía que si mostraba su terror él se pondría peor todavía.

—¿Qué opinas? —le dijo Ben mientras se acercaba a un camión lento en la curva ciega cerca de la planta de agua municipal—, ¿le enseñamos a ese bruto quiénes somos?

—Como quieras —dijo Angela con resignación.

Ben aceleró, giró hacia la izquierda para adelantarse y metió el coche debajo de las ruedas enormes de un autobús lleno de turistas.

38

Él fue decapitado y murió instantáneamente. Angela no tuvo tanta suerte. Estuvo en coma cuatro semanas. Sufrió alucinaciones durante dos meses largos y pasó en el hospital un total de seis meses, con las piernas rotas y la pelvis hecha trizas de tal forma, que nunca se va a recuperar del todo.

Francisca dice que es castigo de Dios, que iban a celebrar una fiesta y que eso nunca se hace en viernes santo.

Pocas semanas después de que los Barceló se instalaron nuevamente en Deyá, ese verano, Marcia bajó a la cocina para una segunda taza de café (necesitaba mucho café mientras trabajaba en su tesis), y comentó con Francisca, que lavaba los platos, la extraordinaria calma que reinaba en Ca'n Barceló.

—Sí —dijo Francisca—, todos están tratando al viejo con mucho cariño para que sus últimos días sean agradables.

—¿Sus últimos días? —se asombró Marcia—, supe que había sufrido un derrame pero creí que iba mejor.

—De eso sí, pero ahora es lo de la batería. Cuando estuvo en el hospital el doctor le avisó a la señora que el lado izquierdo le quedaría paralizado para el resto de su vida y como en Palma viven en un tercer piso sin ascensor, la señora decidió que lo mejor sería dejar que la batería se descargara.

—Qué barbaridad —exclamó Marcia.

—Cuando el viejo le preguntó a la señora si no era hora de cambiársela —se rió Francisco—, ella le dijo que ya el doctor lo había hecho mientras él estaba inconsciente en el hospital. Como no siente nada de ese lado creyó que era cierto, pero los dieciocho meses están para terminar.

El señor Barceló tuvo la suerte de que su batería aguantara casi diecinueve meses y los últimos dos fueron tranquilos, llenos de amor y muestras de afecto por parte de los vecinos. Cuando al fin la maquinita se paró, Slim y Marcia fueron a la vela y la señora estaba inconsolable: gritaba, lloraba y casi se desmayó en brazos de las vecinas que trataban de calmarla.

Slim estaba muy preocupado cuando regresaron a Ca'n Blau. Marcia le preguntó qué le pasaba.

—Es muy frecuente que una batería gastada se recargue sola después de un poco de reposo —dijo—, pero habría sido muy cruel angustiar a la pobre viuda con esa posibilidad.

Elliot Thompson acompañó a los gnomos de Bill Waldren a la excavación arqueológica en la enorme gruta debajo de Son Rullán. Era un cementerio de la edad de piedra. Como siempre Elliot rehusó acatar órdenes, se dirigió hacia un rincón solitario y empezó a cavar en un lugar poco prometedor. Elliot tiene el sexto sentido por más desastroso que eso le resulte.

Después de quince minutos había descubierto la tapa de una olla de barro. Nadie le hizo caso cuando la quitó y descubrió la calavera deshecha adentro.

Su dueño obviamente había sido asesinado por un golpe tremendo que le fue asestado en el parietal derecho. Elliot se fijó también en otra cosa: los huesos de la cuenca del ojo y del pómulo se habían separado de la mandíbula superior e incrustado en el seno nasal, había un anillo de bronce.

Elliot metió aquella curiosidad en el bolsillo de su chaqueta antes de llamar a Bill para que inspeccionara el hallazgo. Desde ese día Elliot mantuvo el hueso sobre la repisa de su chimenea como tema de conversación. Unos meses después del descubrimiento, su casa en Florida se incendió y el seguro distaba mucho de compensar las pérdidas.

Fue advertido varias veces. En una ocasión un amigo hindú que tocaba la cítara llegó a su casa con un monje tibetano. El monje se fijó con horror en el hueso.

—Quítalo de allí —imploró—, hay que enterrarlo de nuevo con una ceremonia propiciatoria.

Elliot se echó a reír.

—¿Por qué? —preguntó con sorna.

—Tiene una fuerza tremenda —explicó el monje—, y se siente que te tiene rabia. No le gusta estar ahí como un objeto ridículo.

—Explíqueme una cosa —dijo Elliot—, no comprendo el significado de ese anillo perforando el hueso.

—Era un shamán poderosísimo —frunció el monje el ceño—, él mismo se clavó el anillo al llegar a cierto grado de maestría. Cada vez que le daba vuelta en la mejilla, el verdigris acumulado le envenenaba la sangre produciéndole visiones. Era su manera de llegar al cielo o al infierno.

—Fantástico —susurró Elliot y desde entonces se refirió a su hallazgo como a "mi shamán domesticado".

Anabel estaba radiante, anotó Marcia en su cuaderno de residentes extranjeros. Por fin había encontrado su felicidad. ¿Quién me iba a decir?, se repetía, he viajado tanto: París, Roma, México, y ha sido aquí, en este pueblecito perdido de Deyá, donde encontré lo que andaba buscando desde siempre.

La felicidad de Anabel era un muchacho hindú, profesor de yoga tántrico, que le había despertado su serpiente *kundalini* y estaba por abrirle la cuarta *chacra*. Indiri le había enseñado a gozar a plenitud de todos los sentidos. Comer una manzana, beber un buen vino, hacer el amor, era distinto ahora, y eso que sólo iba en la cuarta *chacra*.

Después de quince meses de felicidad absoluta, Indiri le dijo que tenía que regresar a Calcuta para que su *gurú* le abriera la sexta y la séptima *chacra*.

Anabel, mientras tanto, vendió su apartamento en París, se compró una casita en Deyá que llenó de gordas alfombras blancas y cojines multicolores, y empezó a dar clases de yoga hatha a las cuales Marcia asistía. Durante los cuatro meses que Indiri estuvo en Calcuta, Anabel le fue —cosa insólita en ella— absolu-

41

tamente fiel.

Y por fin fue el día del regreso. Indiri llegó a Palma en el vuelo de las seis de la tarde. Estaba más hermoso que nunca, Anabel tembló de emoción al verlo y corrió a besarlo. Lo notó extraño. Casi evadió sus labios. Seguramente estaría cansado. Cuando llegaron a casa, Anabel, con los ojos brillantes lo volvió a besar y le ofreció un *Bloody Mary,* su bebida preferida.

—Lo siento —dijo él—, pero no bebo más.

—Me parece muy sabio —exclamó ella—, el alcohol hace a los hombres impotentes. ¿Tienes hambre?

—Siéntate —dijo Indiri recostándose sobre uno de los almohadones esparcidos por el suelo.

Anabel se sentó junto a él, le cogió una mano y se le quedó mirando a los ojos.

—Cuando llegué a Calcuta —empezó a explicarle Indiri—, mi antiguo *gurú* me dijo que no podía atenderme, que me enviaría donde otro más sabio que él. Es un hombre maravilloso, Anabel, me cambió la vida.

Anabel lo escuchaba conteniendo la respiración.

—¿Te abrió la séptima *chacra*? —preguntó.

—Sí —sonrió Indiri—, y soy el hombre más feliz de la tierra. He renunciado a todo: a la bebida, a la carne, a la música, a todo.

Elliot siempre atraía accidentes, pero durante ese año se duplicaron los pequeños desastres que zumbaban a su alrededor. Lo que llevó todo a un punto álgido fue la compra del barco.

Elliot tenía una obsesión insólita. Desde que escribió su tesis doctoral sobre Beowulf soñaba con ir al mar Báltico en una expedición de exploración submarina para localizar la tumba del héroe.

Un día se le presentó la oportunidad de comprar el barco que había pertenecido al difunto exmarido de Jessica Brown y se apresuró a hacerlo. Pagó con un cheque y descubrió más tarde que los dos motores *diesel* tenían que ser totalmente reacondicionados. Semanas después apareció la querida del difunto agitando un testamento ológrafo en el cual se hacía saber que el desaparecido le había legado el barco y un piso en Palma. Como último agravante, Jessica le vendió a otro su derecho de anclaje en el muelle del *Yacht Club* y no se molestó en avisarle a Elliot.

Al darse cuenta, Elliot, en un ataque de rabia escribió tres veces el nombre de Jessica Brown en tres hojas de papel, y bajo la mirada sin ojos del shamán aulló: "Te maldigo, te maldigo, te maldigo", y echó los papeles uno por uno al fuego.

Una semana más tarde; en una noche tormentosa, Jessica estaba sola en su casa, salvo por el loro y el cachorro ibicenco, cuando escuchó unos golpes de nudillos en las persianas.

—¿Quién es? —preguntó.

La respuesta fue una risa insidiosa.

Con manos temblorosas cogió el hacha y se fue por toda la casa para estar segura de que puertas y ventanas estuvieran bien cerradas. Escuchó un ruido en la cocina y entró en puntas de pie. Detrás del cristal de la ventana vio una mano enguantada quitando una de las rejas de madera de la persiana. Abrió los cristales y le asestó un golpe a la mano. Hubo un aullido y la mano desapareció. Encendió todas las luces de la casa y esperó aterrada con el hacha en la mano. Minutos más tarde escuchó ruido en su dormitorio, lo cual quería decir que el merodeador estaba tratando de forzar la ventana al fondo de la casa. Sin esperar más, Jessica, en camisón de dormir, salió volando por la puerta principal y segundos después golpeaba, loca de terror, la puerta de los pescadores. Pasó allí la noche. Tomás y Pedro fueron a revisar su casa y encontraron huellas de zapatos de hombre en el lodo.

La noche siguiente Jessica se fue a dormir a casa de Stephen. A primeras horas de la madrugada se levantó medio mareada para ir al baño. Dio un paso en falso y cayó rodando por las escaleras hasta el piso de piedra rompiéndose el brazo derecho y destrozándose la mejilla.

Cuando Slim y Marcia se mudaron a Ca'n Blau, aún no se habían terminado los trabajos de remodelación. Slim, que es muy curioso y que sabe un poco de todo, trabajaba, intensamente, junto a dos albañiles. Toda la planta baja y la escalera estaban sin terminar, pero los dormitorios y el baño eran ya habitables.

Marcia se despertó en la madrugada. A pesar de que estaba oscuro pudo distinguir perfectamente el bulto arrodillado cerca de la puerta. Se incorporó en la cama y gritó hundiendo las uñas en el brazo de Slim, que roncaba beatíficamente a su lado:

—¿Quién es usted? ¿Qué hace aquí?

—¿Cómo? —dijo Slim con voz pastosa.

—Otra vez agacha la cabeza —dijo Marcia temblorosa.

Slim se sentó en la cama y la abrazó.

—Estás soñando —dijo—, despierta, no hay nadie.

—¿Cómo es posible que no lo veas? Allí está, es muy alto.

El cuerpo de Marcia estaba rígido. Slim seguía sin ver nada, absolutamente nada.

—Enciende la luz —suplicó ella.

Slim, medio dormido aún, pero muy alarmado, se deslizó de la cama, tropezó con una silla en la habitación poco familiar y atravesó el espectro para encender la luz.

—¿Ves? —dijo—, no hay nadie.

—Allí estuvo hasta que tú encendiste la luz —dijo ella—, tenía la cabeza gacha, la levantó cuando le hablé y después la agachó otra vez.

Slim suspiró y se sentó al borde de la cama.

—¿Cómo era?

—Altísimo y delgado. No tiene más de veinticinco años. Llevaba la cabeza rapada y estaba vestido con calzoncillos largos como los que usaba mi abuelo.

44

—¿Llevaba zapatos?

—No sé, no pude ver sus pies.

—¿Qué hacía?

—Nada. Me miró cuando le hablé y volvió a agachar la cabeza.

Slim se metió en la cama y Marcia se enrolló a él como un pulpo tembloroso.

—¿No vas a apagar la luz? —preguntó.

—Antes voy a fumar un cigarrillo —dijo él liberando un brazo para alcanzar el paquete y el encendedor de la mesa de noche.

—Mira, Marcia —dijo después de dos o tres inhalaciones—, no debemos decir ni una palabra sobre esto a nadie.

—Pero fue horrible —protestó ella.

—Tuviste miedo porque creíste que se había metido un ladrón —la consoló Slim—. No hay por qué asustarse, las apariciones son tan inofensivas como los gatos.

—También me asustan los gatos —le recordó ella.

Guardó silencio un momento y añadió:

—Le preguntaré al tío Juan si un muchacho alto y delgado murió en este cuarto.

Tío Juan vivía en la casa de Francisca, que en realidad era suya, pero se la regaló con la condición de que lo cuidara y le lavara los pies hasta que muriera.

—Mejor no —dijo Slim—. Francisca se encargaría de hacérselo saber a todo el pueblo. Si quieres puedo intentarlo con Pepe. Sería interesante saber si Ca'n Blau tiene la reputación de estar infestada de aparecidos. Por eso fue una ganga.

—Vaya ganga si tenemos que compartirla con generaciones de fantasmas —dijo Marcia—. Tío Juan dice que estuvo vacía 70 años hasta que la compramos nosotros.

De pronto Slim se golpeó la frente con la mano.

—Qué bruto soy —dijo—, ¿recuerdas qué noche es ésta?

—No.

—La noche de San Juan, boba. Estuvimos en las fiestas pa-

45

tronales hasta las doce y media.

—¿Y qué tiene que ver?

—Es el festival del solsticio de verano. En toda Europa los fantasmas salen a pasear. A lo mejor el nuestro sólo nos visitará una vez por año.

—El año que viene puedes estar seguro de que pasaré esa noche en un hotel.

—Bueno —la besó Slim—, pero lo esencial es no decirle una palabra a nadie, ni a Pepe. Ya sabemos cómo corren las noticias. Lo que nos acaba de pasar estaría en boca de todo el mundo después de media hora. A lo mejor a nuestro fantasma sólo le queda la energía suficiente para aparecer en la noche de San Juan, pero si todo el pueblo empieza a alimentarlo con sus habladurías, absorberá las fuerzas necesarias como para jorobarnos constantemente.

—Tienes razón —musitó Marcia—, pero no veo qué daño haría hacerle una pregunta inocente a tío Juan.

Slim no dijo nada. Apagó su cigarrillo, se liberó del abrazo de Marcia y se levantó de nuevo para apagar la luz.

Tres días más tarde Jerry Preston entró a Ca'n Blau sin molestarse en tocar a la puerta.

Era la hora del almuerzo. Slim estaba en Palma y Marcia, que no le había dicho absolutamente nada a nadie de lo que había pasado, se preparaba un bocadillo de jamón y queso.

—¿Podrías hacerme uno a mí también? —preguntó Jerry.

Ella asintió y empezó a prepararlo.

Casi no conocía a Jerry. Sólo sabía que era uno de los últimos *hippies* auténticos. Habitaba la torre en ruinas, en la parte extrema de Punta Deyá, y como muchos otros, en ese entonces, se mantenía la mayor parte del tiempo en un estado de trance.

—Vamos a la terraza —sugirió Marcia—, aquí todo está hecho un desastre.

Subieron las escaleras sin hablar y se sentaron a la sombra. Jerry engulló su sandwich con voracidad, bebió un largo trago

46

de Coca Cola y carraspeó.

—Vine para decirte que lo que viste la otra noche era un ángel. No quiso asustarte ni hacerte daño.

Marcia se estremeció, pero no dijo nada. Por unos segundos se le quedó mirando con mucha atención.

No, no era él. Jerry tenía una melena larga y era más bien bajo.

—Además —prosiguió él—, esta casa tiene buenas vibraciones y está protegida. De todos modos, para mayor seguridad la voy a fumigar.

Se despidió y dos horas más tarde reapareció con una rama de florecitas blancas en la mano.

—¿Tienes tachuelas? —dijo.

—Creo que sí, un momento.

A pesar del desorden en que estaba la casa, Marcia encontró una cajita con tachuelas y se la entregó.

Jerry se subió a una silla y con gran seriedad se puso a clavar flores sobre la puerta de entrada y ambas ventanas de la sala.

—Vinca pervinca —dijo Marcia.

—Sí —dijo él—, de gran eficacia contra el mal de ojo y los espíritus malignos.

Subió a los otros dos pisos y repitió la operación en cada una de las ventanas de los dormitorios y del estudio de Slim.

—Terminé —dijo con satisfacción—, ahora tu casa está a prueba de todo.

Marcia no pudo contener su curiosidad.

—¿Por qué me dijiste eso del ángel? —preguntó.

—Porque me di cuenta de que estabas inquieta. Ya volveré otro día, se me hace tarde.

Al salir del hospital Jessica vendió rápidamente todas sus posesiones y se fue a California, donde vivía su hija, para no regresar más a ese "pueblo maldito". Nadie supo nunca quién había sido su agresor. Algunos sospecharon de Elliot, que siempre que se emborrachaba decía horrores contra ella, pero Elliot había pasado esa noche en el Café Deportivo de Fornalutx, bebiendo con unos amigos.

Otros sospecharon de Tony de las Cabras. Hacía relativamente poco, en ocasiones distintas, dos mujeres que vivían solas en las afueras de Deyá habían sido apaleadas y violadas por un hombre encapuchado, que las dejaba tiradas en el suelo, con un pañuelo tapándoles la boca y atadas a la pata de la cama. La gente decía que era Tony, que desde que Ben había muerto estaba raro, pero no había pruebas suficientes.

Pocos días después de que Jessica se marchara, Elliot apareció una tarde en Deyá conduciendo una Vespa. Entró tembloroso a Ca'n Blau. Venía a preguntarles a Slim y a Marcia detalles sobre lo que le había ocurrido a Jessica. Estaba medio borracho y se tomó dos whiskis fuertes mientras confesaba la maldición que había echado sobre ella.

—Idiota —le dijo Slim—, con esas cosas no se juega.

—Fue un arranque de ira —se defendió Elliot—, jamás me imaginé que pudiera pasarle algo tan terrible.

Por fin se calmó un poco.

—Tengo que irme —dijo poniéndose de pie.

—¿Por qué no te quedas a pasar la noche con nosotros? —ofreció Marcia—, empieza a llover y el camino debe estar muy liso.

—No puedo. Quiero estar solo para pensar despacio en todo esto.

—Ten cuidado —le advirtió Marcia.

Al mediodía siguiente Elliot apareció de nuevo en la puerta de Ca'n Blau y Marcia dio un grito cuando le vio la cara. El pómulo derecho estaba casi hundido y un ojo sanguinolento se asomaba fuera de la órbita.

—¿Qué pasó, Elliot?

—La Vespa se deslizó subiendo a Fornalutx y me desbarran-

48

qué con ella. Estuve inconsciente varias horas, pero por fin pude alcanzar la carretera y un alma caritativa me llevó donde el médico.

—Entra, entra —dijo Marcia—, ¿quieres que te prepare un té?

—No puedo, el taxi me espera allí arriba. Sólo vine a despedirme. Tengo un vuelo para Londres dentro de hora y media. Estoy lleno de novocaína y tendrán que operarme tan pronto como sea posible para no perder el ojo.

Regresó un mes más tarde acompañado de una enfermera rubia a la cual había hechizado durante su convalecencia. Slim y Marcia lo vieron en casa de Stephen. Su rostro no era el mismo. Tenía una asimetría pronunciada. Estaba más taciturno, no hablaba a chorros como antes.

—¿Cuál es la forma más indicada para deshacerme del shamán? —le preguntó a Stephen sacándose el artefacto del bolsillo.

—Tendría que pensarlo y buscar algunas referencias —le contestó Stephen—, pero mientras tanto no quiero que lo dejes en mi casa.

Pocos días después Elliot, la enfermera y Stephen fueron a la gruta debajo de Son Rullán y enterraron de nuevo el hueso en el mismo lugar en el que había sido desenterrado. Después de la ceremonia, Elliot y la rubia pasaron por Ca'n Blau y Elliot les contó los detalles del rito a Slim y a Marcia.

Según él, Stephen cayó en trance mientras hacía una oración propiciatoria. Empezó a balbucear palabras incoherentes con lágrimas que le corrían abundantemente por las mejillas. Por fin volvió en sí y los tres depositaron ramas de vinca pervinca sobre la pequeña fosa.

Esa misma noche Marcia tuvo un sueño: soñó que un hombre viejo de estatura baja, vestido con pieles de cabra, se le acercó y le dijo:

—He cambiado de parecer, no me gusta más mi sepultura antigua, hay demasiado ruido.

Marcia se dio cuenta de que llevaba hundido en la mejilla,

debajo del ojo derecho, un anillo de bronce.

—¿Quién es usted? —le preguntó.

—Me llamo Águila de Mar —dijo el viejo—, y quiero que me lleves a otra parte.

Marcia despertó sobresaltada. Eran las seis de la mañana. Se quedó tendida en la cama con los ojos abiertos más de media hora. Trataba de descifrar el sueño. Se levantó despacito para no despertar a Slim y bajó a la cocina a preparar su té de verbena. Mientras lo sorbía decidió lo que tenía que hacer.

Salió de Ca'n Blau a eso de las siete con el pequeño rastrillo y el azadón que le servía para las macetas, dentro de la cesta. Caminó hasta el auto estacionado frente a la casa de Bill Waldren y se dirigió a Son Rullán. Fue difícil encontrar el sendero que bajaba desde la última terraza hasta la gruta, pero una vez allí encontró inmediatamente la fosa de Águila de Mar adornada de vinca pervinca. Desenterró la caja, llenó de nuevo el hoyo y volvió a poner encima las flores ya marchitas.

Eran las ocho cuando regresó al pueblo. Estacionó de nuevo el auto frente a los Waldren y sin titubear un instante se dirigió a pie por las gradas hacia Ca'n Oliver. Subió por su sendero habitual hacia el árbol, que hacía meses había elegido como suyo, excavó un hoyo entre dos raíces protuberantes y depositó allí la caja. Antes de cubrirla con tierra dijo en voz alta:

—Águila de Mar, aquí tendrás una vista estupenda y soledad completa. Descansa en paz.

Cuando se enderezó sacudiéndose el polvo de las manos y miró hacia el Teix, vio al águila de la Foradada haciendo ochos en el cielo y tuvo la certeza de que era la señal: el viejo shamán estaba contento con su nuevo paraje.

La noche de la vela del padre de Miguel, vecino de Ca'n Blau, Marcia volvió a encontrarse con la vestidora.

—Bon día —la saludó.

50

—Bon día —contestó Marcia—, siempre trabajando ¿no es así?

—Así es —dijo la viejita— desde que tenía veinte años empecé a vestir muertos y ya paso de los setenta, así que calcule.

—¿Quiere una tacita de café?

—No me vendría mal.

Marcia se levantó a servírsela y las dos se sentaron en un rincón del comedor.

—¿Sabe una cosa —dijo la vestidora mirándola con ternura—, yo hasta ahora sólo he vestido a los mallorquines, pero con ustedes es distinto, usted me gusta, también la voy a vestir.

Marcia sonrió tímidamente y no pudo ni darle las gracias. Sintió que las manos le temblaban.

—Uno aprende muchas cosas de la gente con este oficio —dijo la vestidora.

—Me imagino.

—El padre de Miguel, por ejemplo. Usted sabe que cuando su mujer se enfermó hace unos años, él decidió meterse a la cama con ella y no hubo quien lo sacara de allí. Como al año murió la mujer y esa misma noche él se levantó como si nada. Duró diez años más.

Marcia se echó a reír.

—Pero lo más extraño —se le animó el rostro a la viejita—, lo más rarísimo de todo, que sólo las viejas del pueblo lo recordamos, es lo que me pasó con la Manuela. ¿Usted no sabe quién era la Manuela, verdad?

Marcia negó con la cabeza.

—Era de una familia muy pobre, donde sólo había varones. Cuando nació todo el pueblo la celebró. Después de tantos machos, seis creo que eran, su madre quería una hija. La Manuela era fea, despertaba poca simpatía. Cuando tenía como veinticinco años la casaron con Bernardo, el idiota del pueblo. Bernardo era muy bueno y muy dócil y no tenía hermanos. Su familia era rica. Eran los dueños de Ca'n Calafat. Todas esas terrazas eran de ellos.

Pobre Barnardo, a él le gustaban las muchachas bonitas, pero ninguna le hacía caso. Los padres se preocupaban, no querían que se quedara solo y lo casaron con la Manuela. Ellos murieron poco después y Bernardo y Manuela se fueron a vivir a Ca'n Calafat.

Todos los días, bien temprano, salían los dos a trabajar las terrazas. Manuela se sentaba debajo de un peral a tejer y le daba órdenes a Bernardo. Nunca tuvieron hijos. Eran bien solitarios y casi no veían a nadie. Ni con sus hermanos se veía la Manuela, que era la menor. Como treinta años vivieron así.

Un día Bernardo se apareció en la casa de los pescadores y les dijo que estaba afligido, que la Manuela, siempre tan madrugadora, no quería despertar. El pescador y su mujer corrieron a la casa. Cuando le explicaron que su mujer había muerto, él se deshizo en sollozos incontrolables. Los vecinos tuvieron que hacerlo todo, hasta ir a Sóller a buscar la caja.

Yo llegué antes de la hora de la cena, subí al dormitorio y en seguida bajé con las piernas que me temblaban. Les dije a tres amigas que estaban allí que subieran. Ellas me acompañaron asustadas de verme así. La Manuela estaba cubierta con una sábana. "Por favor díganme si ven lo que yo veo", dije y aparté la sábana.

La Manuela que ya tenía como cincuenta y cinco años resultó ser un Manuel.

Jerry volvió a Ca'n Blau siempre a la hora de almuerzo. Slim estaba en casa. Marcia preparó otro sandwich y los tres subieron a la terraza.

—¿Cómo diablos supiste que habíamos visto un fantasma? —le preguntó Slim a Jerry—. No le hemos dicho una palabra a nadie.

—¿A qué te refieres? —preguntó Jerry sorprendido—. ¿En serio han visto un fantasma?

Slim se impacientó.

—¿Vas a negar que te presentaste en casa hace tres días para decirle a Marcia que lo que había visto era un ángel? ¿No fuiste tú quien claveteó todo esos *periwinkles* en las ventanas?

—¿Yo? —dijo Jerry incrédulo—, ¿Yo hice todo eso? ¿Cuando?

—El lunes —dijo Marcia—. El lunes a mediodía.

—Ah —dijo Jerry—, el lunes precisamente tomé una sobredosis de ácido y estuve de viaje todo el día. No recuerdo nada.

Slim y Marcia se miraron atónitos.

—Pero anoche —musitó Jerry—, tuve un sueño importante. Soñé que Robert estaba vestido cómo ese dios griego, Zeus, y que yo era un empleado suyo, una especie de mensajero.

—Hermes —dijo Slim, que estaba leyendo el libro de mitos griegos de Robert.

—Exacto —dijo Jerry—, era ése. Robert me llamó a su casa y me reprendió terriblemente porque yo, según él, hablaba demasiado y no atendía mis obligaciones como era debido.

La mente lúcida y racional de Slim, a pesar de sus iluminaciones, habría quedado totalmente turbada por el extraño comportamiento de Jerry de no haber sido por Robert, que fue el que cerró el incidente. Slim y Marcia apenas lo conocían en ese entonces. Sólo habían conversado con él una vez, cuando asomados a una de las ventanas de su dormitorio en Ca'n Blau, Robert había pasado delante de la casa, vestido en *shorts*, con su sombrero de alas anchas y una cesta de Deyá colgada al hombro.

—Qué ganas de hablar con él —le susurró Marcia a Slim—, debe ser fascinante.

Robert se detuvo. Miró hacia arriba y les dijo *"good morning"*.

Marcia se alborozó y lo invitó a entrar.

—Gracias —dijo Robert lanzando al aire una bolita de ping pong y volviéndola a recoger—, ¿han comprado esta casa?

—Sí —dijo Slim—, nos gusta mucho el pueblo.

—*That's good, that's good* —dijo Robert—, ya vendré a visitarlos —y se alejó a grandes zancadas desapareciendo en la esquina.

La misma noche que Jerry estuvo a visitarlos se encontraron a Robert en Ca'n Quet. Estaba cenando con Mel, un astrólogo extraordinario que también leía la palma de la mano. Slim le contó a Robert lo ocurrido.

—Ese muchacho tiene el don de la clarividencia —dijo Robert—, lástima que se droga tanto. Descríbeme al hombre que se te apareció —se dirigió a Marcia—, dices que llevaba la cabeza rapada, ¿te fijaste si tenía patillas?

—Sí —dijo Marcia—, me llamaron la atención, porque a pesar de estar rapado las patillas eran largas.

—¿Su nariz era curva y aplastada?

—Sí —se asombró Marcia.

—Ah —refunfuñó Robert—, era Ted Murphy. Un vulgar asesino que vivió aquí hasta hace dos años.

—¿Cuándo murió? —preguntó Slim.

—No ha muerto —dijo Robert sin titubear—. Vive en los Estados Unidos. Fue él quien asesinó a un amigo mío que vivía cerca de la cala. Es un tipo repugnante.

—Pero si está vivo ¿cómo es posible que Marcia viera su fantasma? —preguntó Slim.

—Los vivos proyectamos fantasmas tanto como los muertos —dijo Robet—, es cuestión de acumular la fuerza suficiente.

Era un día frío de diciembre, uno de esos días en que la eterna nube de Valldemossa se alarga y crece hasta cubrir también Deyá.

Marcia venía de hacer sus compras acompañada de Bobby, su perro blanco y lanudo de ojos dorados que no era perro sino cadejo, cuando vio de pronto, sentada en mitad de la carretera a la misma muchacha a la que el otro día, Bobby se le acercó, la olisqueó, levantó la pata y le hizo pipí encima.

Marcia había sentido una gran vergüenza y le pidió disculpas. Ella se le quedó mirando y ni siquiera se movió. Ahora Marcia se detuvo a observarla. ¿Qué hacía allí en medio de la carretera?

La muchacha, que era francesa y no tenía más de veinte años, estaba concentrada midiendo tiras de esparadrapo. Marcia se acercó despacio. Colette, sin inmutarse, cortó una larga tira y la colocó cuidadosamente sobre una grieta en el asfalto.

—¿Qué haces? —le preguntó Marcia—. Es peligroso estar aquí.

Colette levantó la mirada indiferente. Estaba curando a su manera las heridas del mundo.

Mientras Stephen esperaba el cambio de las manos largas y finas de Catalina, sus ojos se fijaron en la sobrina que salió de la verdulería pelando un plátano. La niña se detuvo al cerrar la puerta, dejó caer la cáscara en la acera y corrió hacia sus amigos masticando el plátano.

Stephen miró la cáscara como quien mira una cobra, recibió el cambio sin desviar la mirada y se dirigió hacia la puerta. Se quedó petrificado al ver a Slim que abrió la portezuela de su coche estacionado frente a la verdulería, cruzó la calle y recogió la cáscara.

—¡Ajá! —chilló—, te pesqué.

Slim se enderezó asustado.

—¿Qué pasa? —preguntó.

—¿Por qué recogiste esa cáscara? —dijo Stephen.

—Se me ocurrió que alguien podía resbalarse. ¿Qué hay de malo en eso?

—No, Slim, no me vengas con cuentos. Debes venir conmigo inmediatamente.

—No puedo, Stephen, tengo que trabajar.

—Nada de excusas, tú y yo tenemos que conversar.

Slim se dejó conducir por el brazo hasta el final de la cuadra y cuesta arriba hacia la casa de Stephen.

—¿Qué pasa? —dijo—, ¿te has vuelto loco?

—Sabes perfectamente lo que pasa. Conversaremos al llegar a casa.

Al abrir la puerta Stephen señaló una de las sillas frente a la larga mesa donde servía el té.

—Siéntate allí y no te muevas —le ordenó—, volveré en seguida.

Subió la escalera y regresó momentos después con un voluminoso cuaderno negro. Lo puso sobre la mesa y se sentó en otra silla frente a Slim.

—Ahora dime ¿por qué levantaste esa cáscara?

—Para evitar un posible accidente.

Stephen cruzó las manos y las puso sobre el cuaderno.

—Durante muchos años —dijo—, he tenido la certeza de que no soy más que un personaje secundario en una novela escrita por otra persona. Todos los hechos de mi desgraciada vida me lo han confirmado una y otra vez y he jurado vengarme del autor en cuanto lo encuentre.

—¿Cómo? —exclamó Slim.

—No quieras engañarme. Tengo las pruebas. Tú y tu condenada novela definitiva sobre Deyá.

—Por Dios —exhaló Slim—, ¿cuáles son las pruebas?

—Empezaré por el principio —dijo Stephen—. Hace tres noches, como debes recordar, pasé por Ca'n Blau antes de cena y como siempre colgué mi cesta en la capotera de la cocina. Al salir cogí la tuya por equivocación y no descubrí el error hasta que llegué a casa. De-debo confesar —tartamudeó—, que abrí tu cuaderno de trabajo para estar completamente seguro de que era tu cesta. Lo que leí me horrorizó y muy temprano al día siguiente entré a Ca'n Blau mientras Francisca lavaba los platos y ustedes dormían. Devolví tu cesta y recuperé la mía.

—Un caballero nunca lee el diario de otra persona —explotó Slim.

—Te pido disculpas —dijo Stephen—, pero el pecado resultó

ser más que justificable. ¿Cómo me vas a explicar esto?

Abrió el cuaderno negro y leyó:

"*Julio 23.* El pobre viejo Stephen sufrió una caída grave esta mañana frente a la verdulería. Se deslizó en una cáscara de plátano y quedó tendido en el suelo con una conmoción grave y heridas en el cuero cabelludo. Marcia y yo acabamos de visitarlo en la clínica Son Dureta y el pobre diablo está totalmente fuera de sí. A lo mejor ha quedado loco (más que antes, qué barbaridad)."

—¿Tienes algo que decir? —dijo Stephen levantando la mirada.

Slim buscó en vano las palabras.

—¿En qué día estamos? —insistió Stephen.

—Es difícil saber —dijo Slim—, aquí se pierde la cuenta.

—No, no —dijo Stephen—, sabes perfectamente que hoy es el 23 de julio.

—Tienes razón —reconoció Slim—. Mañana es el cumpleaños de Robert.

—¿Cómo es posible —prosiguió Stephen su interrogatorio—, que tú en el día 20 o incluso antes hubieses hecho unas notas para la novela fechada en el día 23?

—Una coincidencia —sugirió Slim con timidez.

—Las coincidencias no existen —dijo Stephen—. Sabías perfectamente el día 20 lo que me iba a pasar hoy, hace quince minutos.

—Como quieras —dijo Slim con voz cansada—, pero tienes que admitir que he pasado toda la santa mañana sentado en mi coche esperando a que un niño tirara una cáscara de plátano al andén. La recogí para salvarte el pellejo.

—Muy agradecido por tu fineza. Debo reconocer que no me querías matar, pero te suplico, Slim, que en el futuro no me involucres en más accidentes semi fatales y si te es posible trata a mi pobre persona con más respeto. Me gustaría conservar algún resto de dignidad.

—No te entiendo, Stephen.

—Me estás escribiendo la vida —se inclinó Stephen sobre la mesa—. Si sigues jugando así, lamento anunciarte que debo cortar nuestra amistad.

—No es como tú piensas —dijo Slim resignado—, te juro que no estoy jugando con tu vida ni tengo ganas de hacerlo. Te considero un verdadero amigo y te respeto mucho. Lo que me ocurre es lo siguiente:

Cuando vivía en París hace ya varios años, tuve una experiencia trascendental que me duró tanto tiempo que el psiquiatra tuvo que recurrir a los choques eléctricos. Una serie intensiva de choques eléctricos. El tratamiento resultó eficaz casi en un cien por ciento, pero debo admitir que se me quemó no sólo el recuerdo de mis experiencias trascendentales sino también el de casi todo mi pasado. Lo más grave es que me dejó con una ventana al tiempo más grande que lo normal.

—¿Qué es eso de ventanas al tiempo? —dijo Stephen.

—Una cosa un poco compleja. Todo el mundo da por descontado que vive en el instante presente y que los sucesos de una vida se desarrollan normalmente viniendo desde el futuro, enfocándose nítidamente en el presente y deslizándose otra vez en lo que llamamos el pasado.

Como te expliqué, mi ventana es más ancha que la de la mayoría de las gentes; tengo frecuentes lapsus que me llevan de tres a siete días en el pasado o en el futuro.

—¿En serio? —abrió Stephen sus enormes ojos celestes.

—Sí —afirmó Slim—, te confieso que es terriblemente aburrido tener que vivir por segunda vez una cena con gente sosa, por ejemplo. Sin embargo, me importa menos porque es algo manejable: conservo el recuerdo de la primera ocasión y reconozco que todo me ha pasado antes. Los deslices hacia el futuro son mucho más peliagudos. Siempre tengo la certeza de que estoy viviendo el instante presente y de que todo el mundo a mi alrededor también lo acepta como el *mismísimo ahora*. Generalmente no es sino hasta que las cosas suceden por segunda vez que estoy consciente de que he sufrido otro desliz. Es muy desagradable, pero aparentemente no sólo me pasa a mí, sino a muchas personas. Llámalo *dejá vu*, clarividencia, precognición, como quieras.

—Interesantísimo —susurró Stephen—. Te creo, Slim, y te pido disculpas.

—¿De veras me crees? —dijo Slim asombrado—, no he hablado de esto con nadie más que con Marcia. Todo el mundo me creería loco y aborrezco la idea de tener que pasar por segunda vez por el tratamiento de choques eléctricos.

—Te aseguro que te creo, Slim. Conozco otro caso muy parecido al tuyo, sólo que los saltos en el tiempo eran más largos.

—¿De veras? —Slim estaba fascinado—. ¿Quién era?

—Raimundo Lulio, el filósofo y alquimista mallorquín. Nunca lo conocí personalmente, pero Robert sí.

—¿Raimundo Lulio? —se quedó Slim perplejo—, pero si murió hace cientos de años.

—Sí —dijo Stephen—, en el año 1316 para ser exactos. Como te dije antes, podía saltar en el futuro. Robert tuvo algunas conversaciones verdaderamente fascinantes con él. Las transcribió en un manuscrito que se quedó sin publicar y por accidente vinieron a dar a mis manos.

—Increíble —dijo Slim—, Robert nunca me ha hablado de eso.

—Ya sé. En realidad casi no se acuerda. Le sucedió en la época en que había empezado a trabajar en *La Diosa Blanca*. Él siempre insiste en que durante todo ese periodo se mantuvo en un estado alterado de conciencia.

—Sé lo que quiere decir —dijo Slim—. Pero cuéntame la historia.

—Muy bien —se entusiasmó Stephen—, pero es un poco larga y se me va a secar la garganta. Haré hervir el agua para el té mientras empiezo a contártela.

Slim se reacomodó en la silla y Stephen empezó con su relato mientras se dirigía a la cocina:

—Encontré el manuscrito, *Conversaciones con Raimundo Lulio*, en un compartimento secreto de mi viejo escritorio en nuestra casa de campo —dijo—. Fue más o menos un año antes de venir a Deyá. Mi padre era muy amigo de Robert y los había invitado a él y a Beryl a compartir nuestra casa después de que su apartamento en Londres, durante la segunda guerra mundial, fue bombardeado. Allí, Robert escribió *La Diosa Blanca*.

Yo no los vi durante todo ese periodo. Estaba en los Estados Unidos trabajando en la construcción de la bomba atómica. El famoso proyecto Manhattan, ¿recuerdas? Después de la guerra trabajé en Harwell por muchos años, ayudándoles a que eso funcionara. Mi especialidad era la metalurgia nuclear y como pasatiempo devoraba libros de astrofísica. Una vida tranquila para un solterón.

De repente un día, la presión en uno de los reactores empezó a disminuir lentamente en el sistema de enfriamiento y fui a ver lo que pasaba. Encontré el desperfecto a través de los vidrios de la ventana de plomo: una finísima rajadura en el tubo principal de circulación. El penacho de vapor radioactivo se escapaba por ahí y crecía cada segundo. Entré sin ponerme un traje protector. No había tiempo. Abrí la válvula de desvío, cerré el sistema principal y salí arrastrándome y gritándoles a todos que no se acercaran a mí sin protección.

Como ves la dosis no fue fatal. Perdí el pelo y se me empezaron a caer los dientes. Una peluca y una dentadura postiza resuelven esos problemas. Lo peor es que empecé a patinar. Nadie pudo hacer nada. Decidieron jubilarme con la indemnización por accidentes industriales. Cien libras al mes.

Regresé a la casa de campo y un día, revolviendo papeles en mi cuarto, me acordé del compartimento secreto en el escritorio y fue allí que encontré el manuscrito. Obviamente Robert lo olvidó.

Todo pasó en Deyá, pocos años antes de que estallara la guerra civil. Según Robert, Lulio sencillamente se materializó un mediodía en su estudio y empezó a interrogarlo en catalán antiguo. El catalán de Robert no es muy bueno, así que Lulio cambió a latín.

Parece que Lulio buscaba la piedra filosofal que se lo había tragado hacía 659 años y quiso saber si Robert podría ubicarla. Robert le dijo que no, que no sabía nada. "Debe estar aquí cerca", refunfuñó el viejo filósofo. "Siempre aparezco en su vecindario." Le explicó que durante muchos años había sido lanzado entre su pasado y su futuro, esperando encontrar el camino a su monasterio en Miramar, Mallorca, en el año 1276.

Lulio se perturbó mucho cuando Robert le dijo que él se había materializado en Deyá, Mallorca, en el año 1935, a sólo unos pocos kilómetros del monasterio en Miramar. "Casi he dado con el lugar, pero el tiempo me falla", dijo con tristeza. "Es lo más cerca que he llegado hasta ahora. Por favor acompáñeme hasta allá. A lo mejor encuentro algo." A Robert no le quedó más remedio que acompañarlo a Miramar. Mientras caminaban por la carretera de tierra que llevaba a Valldemossa, Lulio le preguntó a Robert si sabía de algún acontecimiento inexplicable que se hubiese producido en Deyá recientemente. "En realidad", dijo Robert, "muchos acontecimientos inexplicables pasan siempre en este pueblo de Dios. Es sin duda uno de los lugares más misteriosos del mundo".

"Entonces debe estar cerca", se entusiasmó Lulio. "No se imagina los lugares exóticos en que he estado últimamente. Babilonia, Uttar Pradesh, Lhasa, La Ciudad Prohibida, Delfos, las Pirámides, la Atlántida, las Minas de Salomón. Se los regalo todos." Se detuvieron en el camino, cerca del palacio del Archiduque en Son Marroig y miraron hacia La Muleta y la pared del Teix. "El panorama es el mismo", dijo Lulio. Señaló Sa Foradada y su índice apuntó al enorme hueco que formaba el ojo ciclópeo del monstruo de piedra marina que surgía del Me-

61

diterráneo. "Mahmet y yo hicimos eso cuando fabricamos la piedra filosofal", dijo con satisfacción.

Robert lo miró incrédulo.

"Mahmet" explicó Lulio, "era un herrero sufi que se disfrazaba de sirviente mientras me enseñaba árabe y el Arte Magno y me iniciaba en las escrituras enigmáticas de Al Ghazali, alrededor del año 1274. Un hombre muy sabio. Me dijo que Al Khidr (el arcángel Miguel, usted sabe) me había elegido para servir como asistente (suyo) en la elaboración de la piedra filosofal. Yo me puse muy contento, un humilde monje franciscano viviendo allí en una isla perdida del Mediterráneo. ¿Por qué me habrá elegido? me preguntaba. Pronto me di cuenta que era porque tenía un espinazo fuerte. El fabricar la piedra requiere mucho trabajo duro y sucio, como el de un minero. Teníamos que cavar y transportar toneladas de arena y grava todos los días. Pero volviendo al hueco, llegamos al punto donde le piedra comía más de lo que nosotros podíamos alimentarla y aún no se estabilizaba. La teníamos inmovilizada con las piedras imantadas. La llevamos hasta la cumbre de Sa Foradada y la suspendimos desde una grúa oscilante con una polea al extremo. La bajamos hasta el suelo y la dejamos que empezara a roer la roca. Ella misma se autoalimentaba. Todo lo que nosotros teníamos que hacer era sentarnos allí, mecer el brazo de la grúa de atrás para delante y bajar la cuerda de vez en cuando.

"Nos tomó más o menos un mes limpiar toda el área hasta encontrarnos al otro lado. Debe haberse tragado cincuenta mil toneladas de piedra. Mahmet bajó un día y la vio quemar la roca. Le aplicó mercurio y ácido hidroclorídico y me anunció que ya estaba bien de color. La subimos y la llevamos hasta la playa. Mahmet la amarró a una cuerda al extremo de una caña de pescar y la sumergió en el agua. Mientras la piedra se hundía, se formó un remolino que después se transformó en un embudo liso de cerca de dos metros de profundidad, con una chispa azul al fondo. El muelle tembló bajo nuestros pies y la fuerza del agua en rotación amenazaba con barrerlo, pero Mahmet la manejó de arriba para abajo con mucha habilidad para evitar que el embudo creciera demasiado. Después de tres horas, Mahmet levantó el recipiente y lo examinó. 'Se ha estabilizado', dijo. Yo miré y vi que era verdad. La piedra había desaparecido y sólo quedaba su fuerza."

Stephen regresó de la cocina con la tetera, tazas, tostadas, mantequilla y una jarrita de mermelada hecha por él.

—¿Te das cuenta de las implicaciones de ese relato, Slim? —preguntó.

—No puedo decirte que sí —dijo Slim mientras untaba de mantequilla una tostada.

—Lulio le describía a Robert la acción de un agujero negro en miniatura.

—No me digas —exclamó Slim. Estaba tan asombrado que se olvidó de agregar la mermelada antes de morder el pan.

—Espero que sepas lo que es un agujero negro.

—Por supuesto —le aseguró Slim—, es un sol apagado que implosiona hasta que desaparece, pero la gravedad de su masa es tan grande que ni siquiera la luz puede escapar del interior. Por eso es invisible. Además, se traga todo lo que está dentro de su campo de atracción.

—Así es —dijo Stephen revolviendo el azúcar en su té—. ¿Te das cuenta ahora? La descripción de lo que Lulio y Mahmet hacían se ajustaba perfectamente. Ellos alimentaron al agujero negro con toneladas de materia y agua de mar hasta que éste encontró su estabilidad en las coordenadas del tiempo. En otras palabras se convirtió en un objeto atemporal.

Stephen colocó su taza sobre la mesa.

—Además, Slim —añadió mirándolo intensamente a los ojos—, el manuscrito de Robert contiene las instrucciones exactas para crear un agujero negro. Él le ayudó a Lulio a hacerlo y guardó todos los apuntes para cada fase del proceso.

—Espléndido —exclamó Slim—, y tú eres el poseedor del

63

secreto.

Stephen frunció los labios y sacudió afirmativamente la cabeza.

—¿Tienes aquí el manuscrito? Me encantaría verlo.

Stephen titubeó un momento antes de contestar.

—Desgraciadamente no puedo satisfacer su curiosidad. Sólo un metalúrgico nuclear y aficionado a la astrofísica puede darse cuenta de la tremenda responsabilidad que tengo entre mis manos. Se trata de salvaguardar la humanidad.

—Comprendo —dijo Slim decepcionado—, si el secreto se difunde sería un arma poderosísima.

—No, Slim. Si un agujero negro se desprende de las fuerzas electromagnéticas que lo inmovilizan, destruiría el planeta en aproximadamente una semana.

—¿Cómo?

—Sí, caería hacia el centro de la tierra y seguiría creciendo mientras se alimentaba de la litósfera y después del magma. Finalmente engulliría todo el núcleo de hierro y niquel derretido. En esos días finales habría terremotos y una actividad volcánica sin precedentes. Las plataformas continentales chocarían entre sí, enormes olas devastarían las ciudades costeñas y la fuerza de las tormentas y los huracanes barrería con el planeta. Apenas un puñado de gentes sobreviviría para experimentar el último enigma físico: ser tragado por las fauces de un agujero negro.

Slim estaba fascinado con el relato de Stephen acerca de la piedra filosofal. Llegó tarde a almorzar y le contó todo a Marcia, de principio a fin.

—Tengo la impresión de que el manuscrito que Stephen encontró no era más que un cuento que Robert escribió y dejó olvidado después que empezó a trabajar en *La Diosa Blanca* —dijo Marcia.

—No —la contradijo Slim—. No sabes todos los detalles.

64

Stephen me dijo que había trabajado sin éxito un año entero en su casa de campo en Inglaterra, tratando de reproducir la piedra filosofal, con la ayuda de la fórmula que encontró en el manuscrito. Finalmente, desesperado, voló a Mallorca y le preguntó a Robert qué era lo que había hecho mal.

Robert se limitó a resoplar.

"Querido amigo", le dijo, "es obvio que para fabricar la piedra filosofal, en primer lugar se tiene que ser filósofo y estar en estado de gracia. En segundo lugar, trabajabas en un lugar equivocado. La piedra está aquí en Deyá y debes crear las condiciones propicias para atraerla de la atemporalidad a tu horno alquímico".

—Robert cuenta en el manuscrito —prosiguió Slim—, cómo Lulio consiguió su ayuda para montar el aparato y atraer a la piedra desde el éter interdimensional. Les llevó varias semanas de trabajo duro, a pesar de que no tuvieron que arrastrar tanta arena y grava como Lulio y Mahmet lo hicieron la primera vez. Fue Robert quien sugirió emplear una antorcha de acetileno como fuente más eficaz de calor. Los productos químicos necesarios los obtuvieron de algunos proveedores industriales y farmacias de Palma.

Cuando concluyeron el proceso y la piedra estuvo atrapada en su campo electromagnético, Lulio le dio las gracias a Robert por su ayuda y le dijo: "Bueno, esperemos que esta vez resulte". Robert le dijo que sí, que por supuesto. "Después de todo", le dijo, "consultamos en la *Enciclopedia Británica* y encontramos que usted había reaparecido en Miramar en el año 1287 para continuar con una vida larga y fructífera que terminó en 1316".

"Será mejor que me vaya entonces", dijo Lulio y sin añadir otra palabra metió su dedo índice en la jaula electromagnética, el brazo se le alargó desmesuradamente y en un abrir y cerrar de ojos se encogió hasta desaparecer.

—¿Qué pasó con la piedra? —dijo Marcia.

—Stephen le hizo la misma pregunta a Robert —dijo Slim—.

Robert dijo que él la había estudiado un rato, pero que se limitaba a tragar todo lo que le daba y siempre quería más. Como no tenía la intención de meter su dedo índice en la jaula para ir a viajar en el tiempo con Lulio, la guardó en un lugar donde no pudiera empezar a tragarse a la tierra y se olvidó de ella. Todo ese episodio, manuscrito y piedra, se borró de su mente con el estallido de la guerra civil en España y los preparativos de su retorno súbito a Inglaterra.

—Pues si está cerca de la casa de Robert yo sé donde encontrarla —dijo Marcia.

—¿Cómo? —la miró Slim asombrado.

—Debe estar en el jardín mágico. Lulio dijo que cosas extrañas ocurren en su vecindad.

—Ven conmigo —la obligó Slim a ponerse de pie—, Stephen debe escuchar esto inmediatamente.

Stephen preparaba las cosas para su té cotidiano de las cinco de la tarde, cuando Slim y Marcia aparecieron.

—Dice Marcia que la piedra filosofal se encuentra en el jardín mágico de Robert —anunció Slim triunfante.

—Siéntense, siéntense —dijo Stephen—, dentro de un momento termino de cortar el pan. ¿Qué es eso del jardín mágico?

—¿No lo conoces? —dijo Marcia—, está detrás de la casa de Robert. Él lo amuralló hace años. Lo tuvo que poner en cuarentena después de que las plantas empezaron a volverse locas.

—Raro que jamás me lo haya mencionado —frunció Stephen el entrecejo.

—Lo detesta y no le gusta hablar de eso —dijo Marcia—. Estaba orgulloso de su buena mano con las plantas y lo tomó como una afrenta personal. Llegó hasta cerrar la reja con candado. Una vez que se sentía de mal humor, salimos a pasear y me lo enseñó.

—Cuéntame —dijo Stephen, ansioso.

—Todo empezó antes de que se fuera para Inglaterra —dijo Marcia—. Un año plantó papas y ¿qué crees que cosechó? Cinco sacos de remolachas. Tuvo que dárselas a los corderos de los vecinos. El siguiente año fue peor: plantó siete clases de vegetales y todo el jardín se convirtió en una selva tropical, con orquídeas, lianas y unas flores horribles que comen insectos y gusanos. Fue entonces que decidió amurallarlo, poco antes de irse a Inglaterra.

—Puede que tengas razón —dijo Stephen—, los astrofísicos han calculado que las leyes de la naturaleza no funcionan en la vecindad de un agujero negro y que cualquier cosa puede pasar. Absolutamente cualquier cosa.

—¿Qué es eso de agujeros negros? —preguntó Marcia.

—Te lo explicaré más tarde —prometió Slim—, es un concepto muy complicado. ¿No crees que debemos ir a verlo? —dijo, dirigiéndose a Stephen.

—Por supuesto —exclamó Stephen.

Apagó la estufa, donde hervía el agua en la tetera, se caló su sombrero de lana, colgó en la puerta un cartelito que decía "Volveré dentro de media hora", y los invitó a salir.

Robert no se opuso a que visitaran el jardín, pero les advirtió que no había estado en ese "maldito lugar" desde hacía años. Había perdido la llave del candado.

Stephen cogió el hacha de Robert y una barra de hierro, y todos se encaminaron hacia el jardín, detrás de la casa.

Stephen puso un extremo de la barra entre la aldaba y el candado, le entregó a Slim el otro extremo diciéndole que lo agarrara bien fuerte, se alejó un paso y le asestó un poderoso golpe a la barra. El candado cayó y Slim, dejando escapar un pequeño alarido, soltó la barra y sacudió sus hormigueantes manos.

Stephen levantó la aldaba, abrió el portón oxidado y contempló asombrado la exuberante vegetación. Con expresión preocupada examinó una espinosa planta serpa que había monopolizado toda el área.

—Increíble —susurró—, absolutamente increíble.

Arrancó una de las frutitas. Era amarillenta y estaba pringada de manchas ocre.

—Los cazadores de cabezas de Borneo —dijo dirigiéndose a los otros—, emplean este veneno en las puntas de sus dardos. Son absolutamente letales.

Dejó caer la fruta al suelo y examinó el recinto.

—Debe estar en el centro —decidió.

Se abrió camino cuidadosamente a través de las enredaderas espinosas y se dirigió hacia el espantapájaros, en el centro de la selva miniatura. Desabrochó la capa de lluvia andrajosa y exclamó: —Ajá, esto debe ser.

Colgando de la cruz de madera que sostenía la capa de lluvia de extendidas mangas anchas, había una jaula de pájaros. Stephen la descolgó y se acercó a los otros llevándola en alto.

—Robert —dijo—, ¿está aquí la piedra filosofal?

—Sí —respondió Robert—. Ahora recuerdo que la colgué allí un verano en que tuvimos una plaga de insectos en el jardín. La piedra se los tragaba. Veamos si todavía funciona.

Arrancó un largo tallo de hierba y lo metió en la jaula a través de las rejas. La piedra se lo arrebató de las manos y se lo tragó instantáneamente.

—La misma de siempre —resopló Robert—, no sirve para nada.

—¿Le importaría mucho —dijo Stephen haciendo un esfuerzo para no aparecer demasiado ansioso—, si se la pidiera prestada por unos días? Me gustaría hacer algunos experimentos para saber si es o no lo que yo creo.

—Llévatela —se encogió de hombros Robert—, cuidado con meter el dedo entre las rejas o te tragará como lo hizo con el viejo Lulio. Podrías encontrarte en el siglo trece, en algún lugar donde ni siquiera conseguirías una buena taza de té.

—Tendré mucho cuidado —prometió Stephen—. Mañana vendré con un candado nuevo para el portón, pero en realidad no creo que sea necesario de ahora en adelante.

Los tres se despidieron de Robert y empezaron a caminar hacia el pueblo. Stephen llevaba la jaula bien agarrada.

—Es asombroso, Slim, el primer agujero negro de bolsillo que está en posesión del hombre. Piensa lo que eso significa.

—¿Qué vas a hacer con él? —preguntó Slim.

—Por ahora sólo unos experimentos sencillos. Mediré el radio del disco de acumulación y otras cosas por el estilo para ver si se comporta como los astrofísicos predicen. ¿Por qué no vienen a mi casa dentro de unos cuatro días? Creo que tendré resultados tangibles.

—¿No ven —dijo Bill—, cómo el *poltergeist* de la casa del Puig resultó ser Sonny? Parece mentira que un chiquilín de once años haya tenido alborotado a todo el pueblo.

—Esta vez fue la broma de un niño —dijo Marcia—, pero eso no quiere decir que el *poltergeist* no haya sido el autor de las hazañas anteriores. Acuérdate que Robert lo exorcizó.

—¡Marcia! —exclamó Bill—, ¿no me vas a decir que también crees en esas tonterías?

—¿Por qué no?

—Puras supersticiones —refunfuñó Bill—, la mayoría de la gente todavía es víctima de los fantasmas del subconsciente. Los *poltergeist* nunca se materializan en un laboratorio científico.

—Por supuesto —se echó a reír Marcia—, encuentran el clima frío y antipático.

—¿Conoces la ley de Murphy? —dijo Slim.

—No —dijo Bill—, explícamela.

—Es un postulado universal en los círculos científicos. Si hay la más mínima posibilidad de un error estúpido en cualquier experimento, el error se producirá.

—Otra vez el producto del subconsciente del investigador —dijo Bill.

—¿Qué diferencia hay entre que lo llames subconsciente o

poltergeist? —dijo Marcia—. Yo encuentro mucho más fascinante un mundo en el que existen los *poltergeist* en vez de una serie continua de deslices freudianos.

—Tú, Bill —dijo Slim—, no te has enfrentado nunca con un *poltergeist* o con un *leprechaun* porque no crees en ellos y cierras los ojos cuando aparecen. Marcia, por el otro lado, encuentra duendes debajo de la cama cada vez que cambia las sábanas.

—Eso se llama subjetivismo idealista —dijo Bill—. No soporto la idea de un mundo donde las leyes naturales dejan de ser leyes para todos, y me parece absurdo que Marcia o cualquier otra persona pueda deformar a su antojo las leyes de la física sólo porque le atrae lo fantástico.

—Es muy probable —prosiguió Slim—, que Marcia y tú no habiten el mismo mundo. El mundo de un ciego es totalmente distinto al de un vidente y también al de un miope que sólo ve bultos sin la ayuda de lentes poderosos y vive en un mundo intermedio.

—Otra vez el subjetivismo —resopló Bill—. El mundo nos es dado y depende de nosotros cómo desentrañar la realidad, que es la misma para todos.

—El planeta, la bola de tierra —dijo Slim—, es apenas un telón de fondo frente al cual vivimos una serie infinita de realidades. ¿Vas a decirme que la realidad cotidiana de Stephen tiene algún punto de correspondencia con la de Onassis? ¿O que la realidad de San Francisco de Asís era la misma que la de Maquiavelo?

—Pura palabrería —dijo Bill—. Las palabras o las actitudes personales no son capaces de transformar al mundo ni a la realidad esencial.

Slim y Marcia habían llegado a casa de los Edwards a la hora del té. Varios días de calor húmedo los habían enervado dejándolos más propicios para las discusiones acrimoniosas. Esa tarde, por fin, la masa de aire estático comenzó a moverse pero

70

aún había mucha humedad y grandes nubes algodonosas que tropezaban contra el Teix.

En la terraza de los Edwards la brisa de la tarde era más fresca. Judy salió de la cocina llevando una bandeja con té y galletas y aprovechó la primera pausa en la conversación para lanzarse con su insinuante voz y su estilo faulkneriano de contar las cosas, en un interminable monólogo, con divagaciones laberínticas, acerca de su expedición a Palma el día anterior para comprar un colchón nuevo.

La semana pasada la brasa de un cigarrillo había prendido fuego en las sábanas a las cuatro de la tarde y toda la casa se había llenado de humo antes de que Bill se diera cuenta de que algo sucedía.

—¿Ya ves? —le dijo Marcia a Bill en voz baja—, no me vas a decir que Sonny es responsable de eso. Sin duda fue una salamandra.

Bill no tuvo oportunidad de contestar. Otra vez Judy había tomado las riendas de la conversación para describir su visita al nuevo hipermercado recién inaugurado en las afueras de Palma.

Las primeras gotas de lluvia interrumpieron su relato. Todos miraron hacia arriba. Una enorme nube negra se había materializado sin que se dieran cuenta.

—Qué mala suerte —dijo Judy—, será mejor si nos vamos a la sala.

Bill se había quedado ensimismado mirando su taza de té. Cuando las primeras gotas le cayeron sobre la calva se le iluminó el rostro.

Obviamente había quedado picado. Se levantó con energía para ayudarle a Judy a recoger las tazas y se dirigió sonriente a Marcia.

—Te voy a ofrecer una demostración de la oquedad de tus conceptos —dijo.

Se dirigieron todos a la sala, salvo Judy que tenía la manía de lavar los platos inmediatamente después de usarlos.

—Un momento —se excusó Bill y desapareció en su estudio. Cuando regresó, segundos más tarde, traía consigo un pequeño cuaderno.

—Por una extraña coincidencia...

—Las coincidencias no existen —lo interrumpió Marcia.

—Por favor —dijo Bill con expresión adolorida—, déjame seguir. Por un accidente explicable —volvió a empezar—, Ramón y Lucrecia me trajeron este librito la semana pasada. Es un viejo grimorio mallorquín que encontraron en una casa abandonada arriba de Sa Cova de ses Bruixes.

—Perdón —dijo Marcia—, ¿te lo dieron antes o después de que se quemó la cama?

—Antes —dijo Bill y cayó en un silencio preocupado.

—Sa Cova de ses Bruixes quiere decir la cueva de las brujas, ¿no es así? —dijo Slim.

—Si —dijo Bill—. Era un antiguo refugio de los contrabandistas. Me parece muy lógico que alguien encontrara un libro de encantamientos en una casa cercana a ese lugar.

Gotas gordas de lluvia empezaron a salpicar las ventanas de la sala y Bill señaló el fenómeno con un ademán.

—Ramón me trajo el librito —dijo—, para que le tradujera algunos pasajes del latín y también para que le explicara los nombres de varios demonios de los cuales nunca había oído hablar. Ahora —prosiguió—, tenemos una perfecta oportunidad para averiguar qué efectos puede producir toda esa palabrería contra las fuerzas de la naturaleza. Les pido mucha atención —dijo abriendo el grimorio en una página y leyéndoles el título: "Oración contra rayos, piedras, huracanes y tempestades aunque sea por maleficio".

—Ya se darán cuenta —levantó la vista—, de lo mal escrito que está. Obviamente las brujas de Mallorca no conocían bien el castellano ni el latín.

—Empezó a leer:

"Christus Rex, verut en pace Et Deus Homo factus est verbum

cara factum, Christus de Virgine pare, Christus crucifictus est, Christus mortus est, Christus sepultates est, Christus resurectis, Christus ascendit, Christus imperat, Christus reguat, Christus cumini fulgore nos defendet. Deus nobis cuem est."

Al terminar, la tormenta arreciaba. Parecía como si alguien estuviera arrojando grandes baldadas de agua contra las ventanas. Marcia veía indistintamente cómo se doblaban los árboles bajo el viento y tuvo un escalofrío.

Bill se dirigió irónicamente a la ventana y prosiguió:

"Yo te conjuro, tormenta, en nombre del gran Dios viviente, Adonai Elosini, Teobach y Metrator, a que te disuelvas como la sal en el agua y te retires a las selvas inhabitadas y a los barrancos incultos sin causar daño ni estrago alguno."

Hizo solemnemente la señal de la cruz hacia los cuatro puntos cardinales.

"Te vuelvo a conjurar por las cuatro palabras que Dios mismo habló a Moisés, Uriel, Secaph, Losafá, Blat y Agle."

Aquí Bill carraspeó.

—Sin duda —dijo—, se habrán dado cuenta, por la similitud de los nombres de los entes sobrenaturales, que este encantamiento deriva de la Clave de Salomón.

—No —dijo Slim—, no sabía.

—Bill —dijo Marcia con voz nerviosa—, una vez que te lanzas a hacer un encantamiento es malísimo interrumpirse.

—Bah —dijo Bill—, la tormenta sigue igual pero de todas maneras terminaré.

Se puso otra vez solemne y siguió leyendo:

"Te conjuro a que te disuelvas en el momento por Adonai, Jesús Cuitem, Jesús Superamtem, Jesús Padre nuestro hasta en la tentación. Legrot más Alphomiedes más Urat más Conion más Lancaroa más Fondón más Arpagón más Atanat más Boragais más Serabeui."

Le dio un énfasis especial a los nombres que aparecían al final del conjuro y en cuanto terminó de decir "más Boragais más Serabeui" el mundo repentinamente se volvió azul lívido, una inmensa explosión sacudió la casa y todas las luces se apagaron.

—Qué encantamiento eficaz —se echó a reír Slim.

Desde el bulto indistinto del sofá llegó la voz apagada de Marcia:

—Le diste vuelta, Bill —dijo—, ¿qué les parece si encendemos las velas?

Slim, que había pasado siete años empantanado en el capítulo tres de la novela definitiva de Deyá, bajó de su estudio sintiéndose alborozado. Había producido una página y media de prosa cristalina y estaba seguro de haber vencido el obstáculo.

—¿Qué hacemos hoy? —le preguntó a Marcia.

—Tenemos que ir a despedirnos de June. Se va mañana a los Estados Unidos por tres meses.

—¿Qué dices si pasamos por lo de Stephen a ver cómo le va con la piedra filosofal? Nos queda en el camino.

—No sé, Slim —dijo Marcia en tono displicente—, seguro que nos tendrá allí quién sabe cuanto tiempo mientras explica embrolladas teorías que yo no entiendo.

Como siempre, Slim se salió con la suya. Encontraron a Stephen muy contento, anotando fórmulas matemáticas en su cuaderno negro y consultando la computadora de bolsillo para hacer cálculos.

—Hola —los saludó—, me alegro que hayan venido, he pasado tres días maravillosos con mi nuevo juguete. Siéntense y les cuento.

La jaula colgaba de una viga sobre la mesa. Clavados a la viga a intervalos uniformes había hilos con tornillos suspendidos a los extremos. Slim miró asombrado. Sólo los hilos más distantes colgaban verticalmente desde el techo. Los otros se desviaban manifiestamente hacia la jaula.

—Es un agujero negro —les aseguró Stephen alborozado—.

He estado midiendo el diámetro del disco de acumulación y los resultados son increíbles, absolutamente increíbles. Como ustedes saben, la fuerza de gravedad disminuye con el cuadrado de la distancia, así que sabiendo cuánto pesan los tornillos y midiendo su desvío hacia el agujero negro en varias distancias desde el centro, es muy simple calcular la masa del agujero. ¿Sabes una cosa, Slim? —se inclinó Stephen hacia él—, yo calculo que debe haber por lo menos 300 000 toneladas de masa comprimidas a la nada en el centro de ese agujero.

—Stephen —lo interrumpió Marcia—, ¿cómo puede haber trescientas mil toneladas de cualquier cosa en una jaula?

—Ah —se regocijó Stephen—, allí es donde nos damos cuenta de cómo era de listo el viejo Lulio. ¿Ves esos objetos de metal opaco incrustados en cada una de las ocho esquinas de la jaula?

Marcia espió y sacudió afirmativamente la cabeza.

—Ésos son imanes —explicó Stephen—. La fuerza electro-magnética es muchísimo más poderosa que la débil fuerza de gravedad. Esos ocho pequeños imanes equidistantes desde el centro equilibran la radiación electromagnética producida por la rotación del agujero. Mantienen a toda la masa inmovilizada, exactamente en el centro de la jaula.

—Si tú lo dices —dijo Marcia todavía incrédula—, pero si yo fuera tú tendría la jaula colgada de algo más sólido que un clavo oxidado y un alambre de cobre.

June Redgrave entró en ese momento con una cesta de Deyá colgándole del hombro.

—Ha sido un día espantoso —dijo entornando los ojos mientras besaba a Marcia en la mejilla—, me lo he pasado empacando y dejando las cosas en orden.

—De aquí íbamos para tu casa a despedirnos —dijo Marcia.

—Siéntense, siéntense —dijo Stephen—, voy a preparar té para todos.

Se dirigió a la cocina y empezó a llenar de agua la tetera.

—No puedo quedarme mucho, Stephen —dijo June—, todavía me quedan mil cosas por hacer. Vine para preguntarte si puedes cuidar de Dicky mientras estoy de viaje. Magdalena, tú sabes, la vecina que lo cuida siempre, se está volviendo decrépita y senil. Estoy segura de que se olvidará de darle de comer y cambiarle el agua.

—¿Quién es Dicky? —levantó Stephen la voz sobre el ruido del agua.

—Mi canario —dijo June mientras sacaba de su cesta una jaulita minúscula—. Va a ser muy buena compañía para ti. Esa jaula que tienes allí colgada será ideal —añadió levantándose con el canario en la mano.

—¡No, June! —exclamaron Marcia y Slim a la vez.

El rostro de Stephen apareció horrorizado en el marco de la puerta.

—No toques la jaula —gritó.

—Van a asustar a mi pobre pajarito —se indignó June mientras abría la jaula, ponía a Dicky adentro y éste desaparecía.

—¡Dicky! —gritó June—. ¿Qué ha pasado por Dios? ¡Desapareció!

Stephen se tropezó con una silla mientras corría hacia la mesa, y cerraba la puerta de la jaula con una cucharita.

—¿Qué han hecho con mi Dicky? —gimoteó June.

—Que nadie se mueva —ordenó Stephen, severo. Metió la cucharita entre las rejas y la movió de atrás para adelante con una mueca de horror en el rostro.

—Se ha escapado —exclamó—, el agujero negro se ha escapado.

—¿Dónde está mi pobre Dicky? —dijo June con lágrimas en los ojos.

—Se lo tragó el agujero negro —dijo Slim.

—Todos hacia aquí —ordenó Stephen—, puede estar en cualquier lugar en ese otro lado de la habitación.

—¿De qué hablan? —chilló June—, quiero que me devuelvan mi canario.

Stephen sacó de la cesta junto a la chimenea una copia del *London Observer*.

—Toma, Slim —dijo—. Saca unas páginas y las abres. Tenemos que rastrearlo.

Abrió unas cuantas páginas del periódico y las dobló sobre el atizador. Parecía un torero envolviendo su espada con la muleta. Avanzó cautelosamente hacia la jaula agitando por delante el papel.

—Coge una escoba —le dijo a Slim—, tenemos que encontrarlo y devolverlo a la jaula. Va a agujerear el papel y así sabremos dónde está.

—Están más locos que una cabra, quiero decir que tres —dijo June—, me voy ahora mismo.

Stephen extendió un brazo para impedirle el paso y los dos se quedaron congelados al oír un "ping-g" desde la puerta de entrada. Un agujero redondo apareció en la parte superior de la hoja de cristal.

—Está en la calle —dijo Stephen.

—¡El tiempo! —se palmeó la frente—, debemos medir el tiempo.

Manipuló los botones de su reloj de cuarzo y puso a marchar el medidor.

Se subió a la mesa y miró a través del centro de la jaula hacia el agujero del cristal.

—Su trayectoria es más o menos horizontal —anunció—, pero debe describir un arco parabólico descendente mientras la gravedad de la tierra lo aprisiona. Hizo más de cuatro metros en menos de un minuto. Vamos, Slim.

—Necesitamos una escalera —dijo Slim—, debe estar a más de tres metros sobre el nivel del suelo.

Stephen corrió hacia la puerta de la cocina para traer la escalera.

—Marcia —levantó la voz—, descuelga la jaula y dámela.

Slim empujó cautelosamente la puerta de entrada y la abrió

de par en par. No aparecieron más agujeros. June se bebía las lágrimas mientras bajaba las tres gradas que daban a la calle. De su mano colgaba la diminuta jaula, vacía.

Slim sacó de la cocina una escoba y se dirigió a la puerta. Paseó la escoba por ambos lados desde el pórtico de piedra y gimió sorprendido mientras le era arrebatada y desaparecía.

—Está aquí —le indicó a Stephen que venía con la escalera—, acaba de tragarse tu escoba.

Stephen bajó de prisa las gradas y abrió la escalerita en medio de la calle.

—Trae el periódico y el atizador —le indicó a Slim—. Tú —dijo dirigiéndose a Marcia—, abre la puerta de la jaula y dámela.

Subió por la escalerita y empezó a agitar el periódico sobre su cabeza. Hubo un "plop" y un agujero humeante apareció en un borde del periódico.

—Creo que lo tenemos —dijo con voz tensa mientras hacía retroceder el periódico. Otro "plop" y un nuevo agujero humeante. Con movimiento semicircular Stephen colocó la jaula detrás del periódico para atrapar una vez más al agujero negro. Perdió el equilibrio y jaula, periódico y atizador fueron arrebatados de sus manos y desaparecieron en el aire.

Slim se apresuró para evitarle a Stephen su caída y ambos miraron desconsolados desde el suelo hacia el muro de piedra, en la casa de Brad Rising, donde el agujero negro abría un túnel del tamaño de un puño cerrado.

—Nos ganó, Slim —dijo Stephen mientras se levantaban los dos sacudiéndose los pantalones—, la jaula era nuestra única esperanza.

Brad Rising estaba de viaje y su casa permanecía cerrada. Sólo pudieron dirigirse a la parte trasera y esperar a que el agujero negro reapareciera, abriéndose camino a través del otro muro, cosa que sucedió tres minutos más tarde.

—Está ganando velocidad y empieza a descender —dijo Stephen mirándolo mascar su camino entre hojas y pequeñas ramas de almendro en el traspatio—. Calculo que si no choca con la roca saliente, su arco lo va a llevar hasta el otro lado del torrente antes de perforar la tierra y empezar a abrir su túnel hacia el centro del planeta.

Los tres regresaron a casa de Stephen y empezaron despacio a sorber su té.

—Dijiste una semana ¿no es así? —rompió Slim el silencio.

Stephen suspiró y movió afirmativamente la cabeza.

De pronto se oyó un retumbo sordo y los tres se quedaron paralizados. La casa tembló bajo sus pies. El agujero negro chocó con la roca saliente encima del torrente. Abrió un túnel en ángulo empinado y fracturó la piedra estratificada que provocó el Gran Derrumbe de Deyá. Toda evidencia de la desaparición del agujero negro en las fauces de la tierra fue cubierta por toneladas de piedra suelta que rodó en avalancha hasta la orilla del torrente.

Slim, Marcia y Stephen caminaron con resignación hasta el borde del alud y miraron hacia abajo para contemplar la catástrofe. En el camino de El Clot, mirando hacia arriba con horror, estaban Margarita, Tomeu, la vestidora, Francisca, Jamie y todos los niños del pueblo.

—Y esto es sólo el principio ¿verdad? —preguntó Slim.

Stephen sacudió la cabeza sin pronunciar palabra y los tres se dirigieron hacia sus respectivas casas mientras caía la noche.

Obviamente Stephen calculó mal. El mundo no se acabó la semana próxima.

—Fue un cálculo al azar —dijo tratando de disculparse—, después de pensarlo bien y revisar mis ecuaciones, se me ocurre que el disco de acumulación puede actuar como las hélices de un helicóptero. Si es así, su caída al centro de la tierra puede retardarse considerablemente. Varios años, quizás.

Mientras tanto los habitantes de Deyá se entusiasmaron con los precios que pagaban los alemanes por sus casas viejas y empezaron a brotar más restaurantes, instalaron un banco con un rótulo luminoso así de grande, hubo más tiendas de comestibles y un pequeño supermercado, una farmacia, más boutiques y hasta una discoteca que obligó a Carl, el compositor, que tenía su casa frente a ella, a abandonar el pueblo.

Robert empezó a ponerse mal. Deyá se poblaba de caras extrañas y a él le enfureció la construcción de una horrible fábrica de bebidas gaseosas que afeaba al pueblo y la nueva carretera que cubría el torrente y empezaba a extenderse hasta la cala, donde seguramente instalarían un enorme hotel para turistas.

Antes Robert llegaba a Ca'n Blau con mucha frecuencia. Cantaba canciones de cuando estaba en la primera guerra mundial y le enseñaba a Marcia a conocer el nombre de las estrellas y a hacerle reverencias a la luna cuando estaba tierna.

Mientras más se poblaba Deyá menos salía Robert. Al Pueblo de Dios se le iba acabando la magia. Se encerró en su casa y empezó a hablar cada vez menos, a impacientarse con las conversaciones a su alrededor, a mirarnos a todos con ojos ausentes, a levantarse de su silla sólo para ir a la cama.

Deyá había dejado de ser lo que era, ya no llegaban los profetas, las brujas desaparecieron. Lucía dejó de fabricar sus cremas mágicas para el cutis y sus brebajes que curaban todas las enfermedades, Stephen ya no ponía la mesa para el té, don Pedro empezó a vender las tallas antiguas de la iglesia y las remplazaba por estatuas de yeso, el cementerio se modernizó y hasta los protestantes podían ser enterrados allí.

Un buen día Stephen empacó su única maleta y se volvió a Inglaterra.

—Ésta es la señal —le dijo Slim a Marcia—, de que el pueblo se acabó.

Pocas semanas más tarde decidieron irse a vivir a Centroamérica. Después de todo Marcia tenía su ceiba allí.

Imprenta Madero, S. A. de C. V.
Avena 102, 09810 México, D. F.
15-VI-1985
Edición de 2 000 ejemplares

BIBLIOTECA ERA

ENSAYO

Wiktor Woroszylski, *Vida de Mayakovski* (Serie Claves)
José Joaquín Blanco, *Función de medianoche* (Serie Crónicas)
Augusto Monterroso, *La palabra mágica*
Fernando Benítez, *Los demonios en el convento. Sexo y religión en la Nueva España*

NARRATIVA

Malcolm Lowry, *Bajo el volcán*
Gabriel García Márquez, *El coronel no tiene quien le escriba*
Gabriel García Márquez, *La mala hora*
Rosario Castellanos, *Los convidados de agosto*
José Lezama Lima, *Paradiso*
Malcolm Lowry, *Por el Canal de Panamá*
Mario Benedetti, *Gracias por el fuego*
Juan Vicente Melo, *La obediencia nocturna*
Elena Poniatowska, *Hasta no verte Jesús mío*
José Emilio Pacheco, *El viento distante*
Salvador Elizondo, *Narda o el verano*
Juan García Ponce, *La noche*
Juan Manuel Torres, *Didascalias*
Sergio Pitol, *El tañido de una flauta*
José Luis González, *La galería*
Carlos Fuentes, *Aura*
Pierre Klossowski, *La revocación del Edicto de Nantes*
Pierre Klossowski, *La vocación suspendida*
Pierre Klossowski, *Roberte esta noche*
Raymond Queneau, *Las flores azules* (Serie Claves)
Ambrosio Fornet, *Antología del cuento cubano contemporáneo*
Jaroslaw Iwaszkiewicz, *Madre Juana de los Ángeles*
José Lezáma Lima, *Oppiano Licario* (Serie Claves)
Elena Poniatowska, *Querido Diego, te abraza Quiela*
Samuel Walter Medina, *Sastrerías* (Serie Claves)
Agustín Ramos, *Al cielo por asalto* (Serie Claves)

Carlos Fuentes, *Una familia lejana*
Juan Rulfo, *El gallo de oro (y otros textos para el cine)*
José Emilio Pacheco, *Las batallas en el desierto*
Hernán Valdés, *A partir del fin* (Serie Claves)
Carmen Castillo, *Un día de octubre en Santiago* (Serie Claves)
Carlos Fuentes, *Los días enmascarados*
Gabriel García Márquez, *La increíble y triste historia de la cándida Eréndira y de su abuela desalmada*
Héctor Manjarrez, *No todos los hombres son románticos*
Eduardo Galeano, *Días y noches de amor y de guerra*
José Luis González, *El oído de Dios*
Miguel Bonasso, *Recuerdo de la muerte*

POESÍA

José Carlos Becerra, *El otoño recorre las islas (Obra poética 1961/1970)*
Lewis Carroll / Ulalume González de León, *El riesgo del placer*
José Lezáma Lima, *Fragmentos a su imán*
Efraín Huerta, *Transa poética*
José Emilio Pacheco, *Desde entonces*
José Emilio Pacheco, *Los elementos de la noche*
José Emilio Pacheco, *Los trabajos del mar*
José Emilio Pacheco, *El reposo del fuego*
José Emilio Pacheco, *No me preguntes cómo pasa el tiempo*
Jaime Reyes, *La oración del ogro*

TESTIMONIO

Elena Poniatowska, *La noche de Tlatelolco*
Luis González de Alba, *Los días y los años*
Robert Taber, *La guerra de la pulga (Guerrilla y contraguerrilla)*
Rogelio Naranjo, *Elogio de la cordura*
Vera Figner / Vera Zasúlich / Prascovia Ivanóvskaya / Olga